PAss Doch

Endlich auf

AUFMERKSAMKEITS-WERKSTATT

Vom positiven Umgang mit der Aufmerksamkeit
und ihren Problemen (AD(H)S)

(mit über 200 Übungen)

www.tredition.de

© 2020 Hans-Albrecht Zahn
Umschlaggestaltung: Hans-Albrecht Zahn
Lektorat: Anne Zahn
Korrektorat: Anne Zahn

Verlag und Druck:
tredition GmbH, Halenreie 40-44, 22359 Hamburg

ISBN
978-3-7482-1358-1   (Paperback)
978-3-7482-1359-8   (Hardcover)
978-3-7482-1360-4   (e-Book)

INHALT

Einführung:

Aufmerksamkeit **haben wir nicht, aufmerksam sind wir**. Aufmerksamkeit ist keine Eigenschaft, die wir besitzen oder die uns fehlt, sondern ein **Bewusstseinszustand**, der ergriffen oder gelassen werden kann. Sie wird in jedem Augenblick neu geschaffen.

Die Entwicklung der Aufmerksamkeit geschieht auf drei Ebenen.

Auf der **leiblichen Ebene** erwacht das Bewusstsein, indem der Mensch seinen Körper ergreift, sich bewegt und tätig wird. Das lässt sich am Beginn des Lebens gut beobachten, wenn das kleine Kind im Greifen, Kriechen Krabbeln seinen **Körper und die Dinge der Welt ergreift**. Das Gleiche geschieht auch später im Leben jeden Morgen beim **Erwachen aus dem Schlaf**, wenn wir uns recken, aufstehen und tätig werden.

Auf der **seelischen Ebene** entwickelt sich Aufmerksamkeit über **Sprache und Kommunikation**. Mit jedem Wort und Satz, den das Kind sprechen lernt, erwacht sein Bewusstsein für die Dinge, die es benennt.

Auf der **geistigen Ebene** entwickelt sich Aufmerksamkeit über **Ideen und Vorstellungen.** Mit jedem Gedanken, den wir bilden, mit jeder Erkenntnis, die wir haben, mit jeder Gesetzmäßigkeiten, die wir kennen lernen, wird das Bewusstsein für einen bestimmten Bereich der Welt geöffnet.

Niemand kann immer aufmerksam sein. Wir brauchen auch Zeiten, in denen die Aufmerksamkeit losgelassen wird. Der Wechsel von Bewusstsein und Unbewusstsein, von Wachheit und Schlaf, gehört zur Bewusstseinsentwicklung dazu.

Dabei gibt es gewisse Extreme: Entweder ist der Mensch zu wenig bewusst; dann ist er **träge** und **verschläft** die **wesentlichen Dinge,** denen er sich zuwenden sollte oder er ist **überwach** und **nervös,** und kann sich **nicht** auf **eine Sache** konzentrieren. Solche Störungen werden heute meist mit psychoaktiven Substanzen behandelt. Wer zu schläfrig ist, erhält anregende Mittel **(Aufputschmittel),** wer zu nervös und ablenkbar ist, Beruhigungsmittel **(sedierende Medikamente).**

Aufmerksamkeit ist aber primär ein geistig-seelischer Bewusstseinsakt, der von jedem Menschen selbst innerlich geschaffen werden muss. Die physiologisch stoffliche „Behandlung" von Aufmerksamkeitsstörungen über Medikamente mag manchmal nötig sein, ist aber nicht der originäre Ausgangspunkt der Aufmerksamkeitsschulung. Die physiologischen Rahmenbedingungen sind für einen gesunden Aufmerksamkeitsprozess nötig, aber sie stehen nicht im Vordergrund der Aufmerksamkeitsentwicklung.

Neugier, Interesse und Liebe sind die geistig-seelischen Grundlagen der Aufmerksamkeit. Wir können unser Aufmerksamkeit verschiedenen Themen zuwenden. In den modernen Gesellschaften wird das Bewusstsein hauptsächlich auf die **materielle Welt** gerichtet. In den alten religiös-spirituell orientierten Kulturen richtete sich die **Aufmerksamkeit** in erster Linie auf die **geistig-seelische Welt**.

Erst in jüngerer Zeit wurde die „**Aufmerksamkeit auf die Aufmerksamkeit**" selbst gerichtet. Im neunzehnten Jahrhundert hat der Arzt H. Hoffmann **Aufmerksamkeitsprobleme** thematisiert. Er schrieb in dem Kinderbuch der „Struwwelpeter" Geschichten von allen möglichen Kindern, die heute als aufmerksamkeitsgestört bezeichnet würden. Da gibt es den **„Hans Guck in die Luft"**, der nicht aufpasst, über einen Hund fällt und ins Wasser platscht oder den **„Zappelphilipp",** der nie ruhig sitzen kann und die ganze Familie durcheinander bringt. [1]

---

[1] Hoffman Dr. Heinrich: Der Struwwelpeter Orginalausgabe Morgarten, Rütten§Lennig Verlag Frankfurt, 1845

Seit Mitte der 90 –er Jahre werden Aufmerksamkeitsstörungen unter dem Stichwort **AD(H)S** zu
einem zentralen Thema. Sie werden als **Krankheit**
betrachtet und vorwiegend mit **Medikamenten** behandelt. Manche Autoren halten diese „Pathologisierung" für falsch und sehen die Aufmerksamkeitsprobleme eher als eine pädagogische Herausforde-
rung als eine physiologische Krankheit an.[2]

Krankheitsdiagnosen wirken tendenziell im
Sinn einer sich selbst erfüllenden Prophezeiung
(„selffullfilling prophecy). Das betroffene Kind emp-
findet sich als „krank" und muss sich sagen: „Ich
habe eine Krankheit, die heißt AD(H)S. Scheinbar
funktioniert irgendetwas in meinem Gehirn nicht
richtig. Das ist der Grund, dass ich nicht aufpassen
kann. Ich selbst kann da nichts machen. Wenn ich

---

[2] Henning Köhler: War Michel aus Lönnaberga aufmerksamkeitsgestört? Verlag Freies Geistesleben, 2002

Glück habe, wirkt vielleicht ein Medikament, welches mir der Arzt verordnet."

Eltern und Lehrer von „AD(H)S – Kindern" sind ebenso von dieser Dynamik betroffen. Auch sie sind durch die Krankheitsdiagnose überzeugt, durch Schulung und Erziehung wenig erreichen zu können und hoffen auf äußere Hilfe in Form eines Medikamentes. Die übliche Pathologisierung wirkt tendenziell **schwächend auf die Eigeninitiative** der Beteiligten.

Ich halte es für fruchtbarer, das Bewusstsein darauf zu richten, wie **Aufmerksamkeit verbessert werden** kann als darauf zu schauen, wie **Aufmerksamkeitsstörungen beseitigt** werden können. In über 200 Übungen werden in diesem Buch Möglichkeiten aufgezeigt, wie Aufmerksamkeit entwickelt werden kann.

Dieses Buch gibt **Orientierung** für diejenigen, die sich für Aufmerksamkeit und Bewusstseinsentwicklung interessieren. Es werden Zusammenhänge aufgezeigt, die für die psychologische und spirituelle Entwicklung von grundlegender Bedeutung sind. Übungsformen werden beschrieben, die üblicherweise nicht im Zusammenhang mit einem besonderen Aufmerksamkeitstraining gesehen werden. Dazu gehören Geschicklichkeitsübungen, Sprachübungen, Wahrnehmungs- und Mediationsaufgaben usw.

Erzieher, insbesondere Lehrer und Eltern können sich ein Bild verschaffen über die wesentlichen Gründe und Behandlungsmöglichkeiten von Aufmerksamkeitsproblemen. Der **Lehrer** wird **Anregungen für seinen Unterricht** gewinnen, die **Eltern** finden **Aufgaben für den Erziehungsalltag** und der **Lerntherapeut** kann sich ein Schulungsprogramm für seine **Therapiestunde** zusammenstellen.

KAPITEL I

PHÄNOMENE

1. PHÄNOMENE

Zunächst wollen wir uns verschiedenen Erscheinungsformen zuwenden, die wir als Aufmerksamkeit oder Unaufmerksamkeit erleben.

1.1 EIGENE ERLEBNISSE

Übung: Beobachtung „Aufmerksamkeit"
Erinnern Sie sich an eine Situation, wo sie Aufmerksam erlebt haben! Beschreiben Sie diese! Was würden Sie als typisch „aufmerksam" bezeichnen? Tauschen Sie sich mit einem Partner aus!

Übung: Beobachtung „Unaufmerksamkeit"
Wo haben Sie Unaufmerksamkeit erlebt? Beschreiben Sie die Situation! Was würden Sie als typisch „unaufmerksam" bezeichnen? Tauschen Sie sich mit einem Partner aus!

Übung: Selbstbeobachtung „Aufmerksamkeit"
Erinnern Sie sich nun an eine Situation, in der Sie sich selbst als sehr aufmerksam oder konzentriert erlebt haben! Halten Sie ihre inneren Beobachtungen fest und tauschen Sie sich mit einem Partner aus!

Übung: Selbstbeobachtung „Unaufmerksamkeit"
Erinnern Sie sich nun an eine Situation, in der Sie
unaufmerksam waren! Was waren die Folgen dieser
Unaufmerksamkeit? Können Sie irgendwelche Grün-
de für Ihre Unaufmerksamkeit finden? Wie hätte
sich die Situation evtl. verhindern lassen?
Tauschen Sie sich mit einem Partner aus!

1.2 BILDER UND ASSOZIATIONEN

Aufmerksamkeit

Wir suchen nun Lebensbeispiele, in denen Aufmerksamkeit in typischer Weise zum Ausdruck
kommt.

Beispiel: Balancieren (Äquilibristik)
Ein **Seilkünstler** spannt ein Hochseil aus und balanciert nun Schritt für Schritt von einer Seite auf die
andere. Schon beim Zusehen erlebt der Zuschauer
Konzentration in höchster Form.

Beispiel: Jonglage
Ein **Jongleur** nimmt einige Bälle in die Hand und beginnt die Bälle nacheinander hochzuwerfen, um eine Jonglage zu realisieren. In jedem Augenblick
muss der **Jongleur** genau erspüren, wo sich jeder
Ball gerade befindet.

Beispiel: Der konzentrierte Handwerker

Ein **Schreiner** bearbeitet ein Werkstück und ist bei jeder einzelnen Tätigkeit innerlich ganz bei der Sache. Er prüft das Holz, das er auswählt. Er spannt das Werkstück in die Werkbank, er sägt, hobelt und schleift es. Bei jedem einzelnen Schritt ist er hoch konzentriert.

Beispiel: Zeichnen und Malen

Einige Künstler beschreiben, wie das Zeichnen ihre allerhöchste Konzentration verlangt. Der japanische Künstler Hokusai sagt: „....Ich möchte gerne hundert Jahre alt werden, weil ich erst dann so weit sein werde, einen Punkt richtig zu zeichnen." Henri Matisse macht seinen Aufmerksamkeitsprozess mit folgenden Worten deutlich: „Wenn ich meiner zeichnenden Hand vertraue, dann deshalb, weil ich sie niemals die Gewalt über mein Gefühl ergreifen ließ, als ich sie lehrte mir zu dienen. Ich fühle sehr genau, wenn sie abschweift, wenn eine Uneinigkeit zwischen uns besteht."

Beispiel: Schauspielkunst

Ein Urbild seelischer Aufmerksamkeit ist die **Schauspielkunst**. Nur der schauspielert gut, der ganz in seiner Rolle lebt. Tätigkeit, Empfindung und Sprache müssen zur Einheit werden.

Beispiel: Musiker

Jede Tätigkeit kann mit innerer seelischer Beteiligung oder nur äußerlich funktionell ausgeführt werden. Das zeigt sich besonders in der **Musikkunst.** Es genügt nicht, nur die richtigen äußeren Töne spielen. Entscheidend ist ob der Musiker mit seinem Empfindungs- und Seelenleben auch innerlich ganz bei der Sache ist.

Beispiel: Mathematisieren

Beim Rechnen und Mathematisieren wird systematisch ein Gedanke nach dem anderen gesetzt. Schon das Zählen ist ein Konzentrationsakt, bei dem man sich nicht ablenken lassen darf, wenn man sich nicht verzählen will. Die Gedanken werden durch die mathematische Tätigkeit selbst geordnet.

Beispiel: Meditieren (Beten)

Beim Meditieren und Beten ist die Aufmerksamkeit ganz auf die eigene Innenwelt gerichtet. Der **ins Gebet versunkene Mönch** ist ein Bild der Aufmerksamkeit.

Unaufmerksamkeit

Beispiel „Unfall"

Bei einem **Unfall** war meistens einer der Betroffenen einen Moment unaufmerksam. Bei einem Verkehrsunfall wurde vielleicht ein anderer Verkehrsteilnehmer übersehen; bei einem Sturz ein Hindernis auf dem Weg nicht bemerkt, usw.

Beispiel Hausaufgabensituation

Manche Eltern beschreiben die **Hausaufgabensituation** als eine typische Situation der Unaufmerksamkeit: „Er bleibt einfach nicht sitzen, rennt aufs Klo, dann muss der Bleistift gespitzt werden, dann geht es in die Küche um Süßigkeiten zu holen. Dann hat er eine Stunde vor seinem Heft gesessen und es steht nichts im Heft.

Beispiel Schulsituation

Lehrer erleben viele Kinder in der Schule als aufmerksamkeitsgestört und beschreiben dies: „Das geht damit los, dass Peter schon zu spät zur Schule kommt. Er trödelte eben zu lange herum. Im Klassenzimmer angekommen, lässt er seine Büchertasche in der Garderobe liegen und unterhält sich mit einem Kameraden statt seinen Arbeitsplatz vor zubereiten. Beim gemeinsamen Gedicht spricht er nicht mit, sondern schaut träumend zum Fenster hinaus. Beim Schreiben bemerkt er nicht, dass er sein Heft herausholen sollte. In seinem Federmäppchen sind alle Stifte abgebrochen, Radiergummi und Spitzer sind verloren gegangen. Außerdem kommt er laufend in Streit mit seinen Sitznachbarn. Er passt einfach nicht auf.

Beispiel Der Zappelphilipp

Eine der ältesten Darstellungen für Unaufmerksamkeit ist die Geschichte vom Zappelphilipp in dem Kinderbuch „ Struwwelpeter" von Hoffmann aus dem Jahr 1845. Es ist mit entsprechend einprägsamen Bildern illustriert.

„Ob der Philipp heute still
Wohl bei Tische sitzen will?"
Also sprach in ernstem Ton
Der Papa zu seinem Sohn,
Und die Mutter blickte stumm
Auf dem ganzen Tisch herum.
Doch der Philipp hörte nicht

Was zu ihm der Vater spricht.
Er gaukelt
Und schaukelt
Er trappelt
Und zappelt
Auf dem Stuhle hin und her.
„Philipp, das missfällt mir sehr!"
Sehr ihr lieben Kinder seht.
Wie's dem Philipp weitergeht!
Oben steht es auf dem Bild.
Seht! Er schaukelt gar zu wild,
Bis der Stuhl nach hinten fällt;
Da ist nichts mehr was ihn hält;
Nach dem Tischtuch greift er, schreit.
Doch was hilft's ? Zu gleicher Zeit
Fallen Teller, Flasch' und Brot,
Vater ist in großer Not,
Und die Mutter blicket stumm
Auf dem ganzen Tisch herum.

Bilder „aufmerksamer Unaufmerksamkeit".

Es gibt Situationen und Beispiele, welche - je nach Standpunkt des Beobachters - als Unaufmerksamkeit oder Aufmerksamkeit bezeichnet werden können. Es kann viele Gründe geben, dass jemand sein

Bewusstsein nicht auf das richtet, was andere von ihm erwarten.

Beispiel Der unaufmerksame Kirchenbesucher

Von Galilei wird folgende Anekdote berichtet: Er habe sich im Gottesdienst bei der Predigt des Pfarrers gelangweilt habe. Stattdessen betrachtete er die Kirchenleuchter, wie sie an langen Seilen von der Decke im Kirchenschiff hingen und sich leicht hin und her bewegten. Er begann auf den Schwingungsrhythmus der Leuchter zu achten. Aus diesen Beobachtungen heraus fand er die Gesetze der Schwerkraft, welche später seinen Ruhm als Naturwissenschaftler begründeten.
Vom Standpunkt des Physikers aus war Galileo sehr aufmerksam. Vom Standpunkt des Pfarrers aus, war er dagegen unkonzentriert.

Beispiel Das Eichhörnchen im Unterricht

Im Rechenunterricht sieht Paul mit größter Aufmerksamkeit einem Eichhörnchen zu, welches draußen vor dem Fenster auf einem Baum von Ast zu Ast springt. Er schaut gebannt den Bewegungsablauf des kleinen Tieres an. Er könnte dem Lehrer detailliert jeden einzelnen Bewegungsakt des Eichhörnchens schildern.

Vom Standpunkt des Mathematiklehrers ist er unaufmerksam; der Biologielehrer würde ihn vielleicht als aufmerksam beurteilen.

Beispiel : Spielen und Pausenglocke

Ein Kind spielt in der Pause unter einem Baum. Im Wurzelwerk der Tanne hat es eine „Zwergen Gesellschaft" entdeckt. Als die Pausenglocke läutet, ist es so in sein Spiel vertieft, dass es diese überhört. Es ist die Frage, ob dies als Unaufmerksamkeit in Bezug auf die Schulglocke oder als Aufmerksamkeit in Bezug auf sein Spiel zu bewerten ist.

Beispiel: Streit der Eltern und Englischunterricht

Ein Kind sitzt im Englischunterricht. Es werden gerade die neuen Vokabeln behandelt. Das Kind aber hat am Morgen einen Streit zwischen Vater und Mutter erlebt. Daran muss es im Augenblick immer noch denken. In Bezug auf den Englischunterricht ist es unaufmerksam, in Bezug auf seine familiäre Situation ist es möglicherweise eher aufmerksam.

Solche Beispiele verdeutlichen, dass das Urteil „Aufmerksamkeit" oder „Unaufmerksamkeit" stark von der Bewertung der Rahmensituation geprägt ist.

1.3 BESCHREIBUNGEN DIAGNOSEN TESTS

FREIE BESCHREIBUNGEN

Eine Möglichkeit Aufmerksamkeitsstörungen zu erfassen, ist diese in freier Weise zu beschreiben. Im Gegensatz zu den standardisierten Testverfahren, lässt sich dabei die Aufmerksamkeitssituation eines Menschen recht individuell beschreiben.

Übung: Versuchen Sie stichpunktartig mit eigenen Worten zu beschreiben, was Sie unter Aufmerksamkeitsstörungen verstehen!

Beispiel für eine mögliche Charakterisierung

- schreit, brüllt, beschimpft seine Mitmenschen
- zieht sich in sich zurück, reagiert nicht auf Bitten und Aufforderungen
- bringt Unruhe in Familie, Kindergartengruppe und Schulklasse

- ist nicht beliebt, tut aber auch selbst wenig dazu von anderen gemocht zu werden
- starker Mitteilungsdrang, redet ununterbrochen und meistens genau im falschen Augenblick
- nimmt mit seinem Verhalten keine Rücksicht auf Andere
- tut, was er will
- hat eine eingeschränkte Selbstwahrnehmung
- merkt nicht wie er auf andere wirkt
- lebt zwischen Selbstzweifel und Selbstüberschätzung
- hält sich selbst für einen Versager
- prahlt gerne
- spürt sich selbst wenig; relativ unempfindlich gegen physischen Schmerz
- schwaches Leibwahrnehmung
- zwischen Stumpfheit und Interesselosigkeit
- Vergesslichkeit
- leichte Ablenkbarkeit
- kurze Aufmerksamkeitsspanne
- häufig wechselnde Vorstellungen
- sprunghaftes Denken
- wird von inneren Bildern überflutet, einseitige visuelle Bindung
- schnell wechselnde Vorstellungen
- interessiert sich wenig für die Umwelt
- will sich nicht festlegen

- das Empfinden wechselt zwischen Apathie und Aufregung
- lebt nicht in der Gegenwart, bindet Zukunft und Vergangenheit nicht an die Gegenwart,
- hat dauernd gute Vorsätze, welche nicht eingehalten werden
- regt sich schnell auf
- möchte dauernd Abwechslung haben
- sucht kurzfristigen Unterhaltungswert
- hockt oft vor dem Fernseher oder Computer
- möchte am liebsten nur Herumtoben oder herumdösen
- Bewegungsunruhe
- Atemlosigkeit
- keine Ausdauer
- nur kurz bei einer Sache bleiben
- döst auf dem Sofa herum ohne etwas zu tun

FRAGEBOGEN

Zur „Diagnose" der Aufmerksamkeit wurden eine Reihe von Diagnoserastern, Fragebogen und Tests entwickelt. Solche Instrumente sind nötig, um – im heutigen Wissenschafts-und Gesellschaftsverständnis - Aufmerksamkeit zu erfassen. Die Phänomene werden durch Testverfahren messbar gemacht und erhalten dadurch eine gewisse „Objektivität".

Solche Diagnosen haben eine gewisse Berechtigung. Wenn eine Behörde ein Medikament oder eine Therapie einer Aufmerksamkeitsstörung bezahlt, hängt es davon ab, ob die beobachteten Verhaltensweisen durch diese Testverfahren als krank und behandlungsbedürftig eingestuft werden.

Einige solcher Diagnoseformen sollen hier beschrieben werden. DSM ist ein Klassifikationssystem für psychische Störungen, das Ärzten und Psychologen helfen soll, Aufmerksamkeitsstörungen zu diagnostizieren (DSM ist ein Klassifikationssystem der Psychiatrie/Diagnostic and Statistical Manual of Mental Disorders). Eine der ersten Fragebogen zur Erfassung von Aufmerksamkeitsstörungen wurden von Hallowell und Ratey entwickelt. ADS ist die Abkürzung für Aufmerksamkeitsdefizitsyndrom. Sie haben einen Fragebogen für Kinder und für Erwachsene entwickelt.

ADS – Diagnoseraster nach Hallowell/Ratey für Kinder DIAGNOSTISCHE KRITERIEN FÜR DIE AUFMERKSAMKEITS UND HYPERAKTIVITÄTSSTÖRUNG BEI KINDERN (nach DSM - III - R)

Voraussetzung ist eine Störung von mindestens sechsmonatiger Dauer, bei der nicht weniger als acht der folgenden Symptome auftreten:

1) Zappelt häufig mit Händen und Füßen oder rutscht auf dem Stuhl hin und her (kann bei Heranwachsenden beziehungsweise Erwachsenen auf das Gefühl motorischer Unruhe beschränkt sein).

2) Hat Mühe an seinem/ihrem Platz sitzen zu bleiben, wenn es die Umstände verlangen.

3) Ist leicht ablenkbar durch Außenreize.

4) Es fällt ihm/ihr beim Spiel oder in Gruppensituationen schwer zu warten, bis er/sie an der Reihe ist.

5) Platzt häufig mit der Antwort heraus, bevor die Frage vollständig formuliert ist.

6) Es fällt ihm/ihr schwer, Instruktionen von anderer Seite konsequent zu befolgen.

7) Es fällt ihm/ihr schwer beim Arbeiten oder Spielen über längere Zeit aufmerksam zu bleiben.

8) Wechselt häufig die Tätigkeiten ohne eine von ihnen zu beenden.

9) Es fällt ihm/ihr schwer, still zu spielen.

10) Redet häufig ohne Punkt und Komma.

11) Unterbricht oder stört häufig andere

12) Macht häufig den Eindruck, er/sie höre gar nicht zu, wenn man mit ihm/ihr spricht.

13) Verliert häufig Sachen, die er/sie für Arbeiten oder Aktivitäten in der Schule oder zu Hause benötigt.

14) Lässt sich häufig auf physisch riskante Aktivitäten ein, ohne die möglichen Folgen zu bedenken.

ADS - Diagnoseraster nach Hallowell/Ratey für Erwachsene DIAGNOSTISCHE KRITERIEN FÜR DIE DIAGNOSE ADD bei Erwachsenen

Hallowell und Ratey schlagen folgende Kriterien für die Diagnose von ADD bei Erwachsenen vor: Eine chronische Störung, bei der mindestens zwölf der folgenden Symptome vorliegen:

1) Ein Gefühl der Leistungsschwäche: das Gefühl nie die selbst gesteckten Ziele zu erreichen (das unabhängig davon ist, wie viel man tatsächlich erreicht hat)

2) Probleme mit der Organisation des Alltagslebens.

3) Chronisches „auf die lange Bank schieben" von Aufgaben beziehungsweise Mühe, einen Anfang zu machen.

4) Es sind viele Projekte gleichzeitig am Laufen; es fällt schwer eine Sache durchzuziehen.

5) Die Neigung auszusprechen, was einem gerade in den Sinn kommt, ohne zu überlegen, ob man den richtigen Zeitpunkt oder die richtige Gelegenheit für seine Bemerkung gewählt hat.

6) Häufige Jagd nach hochgradiger Stimulierung.

7) Mangelnde Toleranz gegenüber Langeweile.

8) Ablenkbarkeit; Probleme mit der Aufmerksamkeitsfokussierung; die Neigung mitten in der Lektü-

re einer Seite oder mitten in einem Gespräch abzuschalten; das alles nicht selten verbunden mit der Fähigkeit zu zeitweiligem Hyperfokussieren.

9) Häufige Beweise von Kreativität, Intuition, hoher Intelligenz.

10) Schwierigkeiten Verfahrensregeln und „ordnungsgemäßes„ Procedere einzuhalten.

11) Ungeduld; geringe Frustrationstoleranz

12) Impulsivität im Reden wie im Handeln; Beispiele: Impulsives Geld ausgeben, Ändern von Plänen, Erproben neuer Strategien, Sich entscheiden für neue Berufsziele und ähnliches mehr. Cholerisches Temperament.

13) Die Neigung sich unaufhörlich unnötige Sorgen zu machen; der Hang, mit Argusaugen Ausschau zu halten nach Anlässen der Sorge, abwechselnd mit Blindheit oder Gleichgültigkeit gegenüber realer Gefahr.

14) Innere Sicherheit

15) Stimmungsschwankungen, Stimmungslabilität, besonders wenn nicht aktuell mit einem Menschen oder einem Projekt beschäftigt.

16) Motorische oder innere Unruhe

17) Neigung zu Suchtverhalten

18) Chronisch angeschlagenes Selbstwertgefühl.

19) Unzutreffende Selbstbeurteilung

20) Familiär gehäuftes Auftreten von ADD, manisch-depressiver Erkrankung, Depression, Suchtverhalten, Probleme mit der Impulskontrolle oder mit Stimmungen.

TESTS

In psychologischen Tests werden Aufgaben zur Aufmerksamkeit gestellt, welche der Betreffende in einer vorgegebenen Zeit erfüllen soll. Oft geht es darum, über längere Zeit bei einer klar definierten Tätigkeit zu bleiben. Beispielweise müssen bestimmte Formen möglichst schnell bestimmten Zahlen zugeordnet werden.

1	2	3	4	5	6	7	8	9
\	/	□	X	O	❨	∕	∕	⊻

Je schneller und genauer solche Zuordnungen durchgeführt werden, umso besser wird der Proband eingeschätzt. Es wird ausgezählt, wie viele solche Aufgaben richtig angekreuzt wurden und welche Zeit dafür gebraucht wurde.

In anderen Tests soll sich der Proband möglichst viele sinnlose Silben merken oder es werden längere Zahlenreihen vorgesprochen, die dann wiederholt werden müssen.

Es werden nun Vergleichsgruppen gebildet. Dabei wird festgestellt, wie gut eine Person im Vergleich zu einer definierten Gruppe, (z.B. Altersgruppe) abgeschnitten hat. Daraus lässt sich dann ein mathematischer Wert, der als Maß für die Aufmerksamkeit genommen wird. Beispielsweise gibt der Prozentwert an, dass diese Person besser war als 97 % der entsprechenden Vergleichsgruppe. Bei solchen Verfahren wird versucht, die Aufmerksamkeitsleistung unter möglichst standardisierten Bedingungen zu fordern.

Standardisierte psychologische Tests für die Erfassung von Aufmerksamkeit gibt es eine ganze Menge. Aus der Fülle der Aufmerksamkeitstests seien einige Beispiele genannt.

Test d2 Aufmerksamkeitsbelastungstest: (Aus Testkatalog der Testzentrale Göttingen)

Der Test d2 stellt eine standardisierte Weiterentwicklung der **sog. Durchstreichtests** dar. Er misst Tempo und Sorgfalt des Arbeitsverhaltens bei der **Unterscheidung ähnlicher visueller Reize** (Detail-Diskrimination) und ermöglicht dadurch die Beurteilung individueller Aufmerksamkeits- und Konzentrationsleistungen.

Frankfurter Aufmerksamkeitsinventar (FAIR)

Das FAIR ist ein umfangreich erprobter **Paper-pencil-Test.** Er misst gerichtete Aufmerksamkeit als Fähigkeit zur konzentrierten, d.h. genauen und schnellen **Diskrimination visuell ähnlicher Reize** unter gleichzeitiger Ausblendung aufgabenirrelevanter Information.

Der Konzentrations- Leistungstest (KLT)

Der KLT besteht aus **komplexen Rechenaufgaben, die Kurzzeitspeicherleistungen** einbeziehen. Er ist im Wesentlichen ein Schnelligkeitstest (Speed Test), der zugleich aber auch die Arbeitsgenauigkeit misst, also Quantität ebenso wie Qualität von Dauerbeanspruchungen erfasst.

Konzentrations- Verlaufstest (KVT):

Beim Konzentrationsverlaufstest soll der Proband einen **Kartenstoß nach vier Kriterien durchsehen und sortieren:** ob die Karten die eine oder andere von zwei vorgegeben Zahlen enthalten oder alle beide, bzw. keine von beiden. Gemessen werden Arbeitszeit und Fehlerzahl: Es ergibt sich eine Arbeitsverlaufskurve.

KAPITEL II

GRUNDLAGEN

2.1 INTERESSE
(Zentrische und sphärische Aufmerksamkeit)

Interesse ist die **Basis** der Aufmerksamkeit. Wenn **Gleichgültigkeit** sich breit macht, verschwindet sie. Wer aufmerksam ist, ist **bei sich** und gleichzeitig **bei der Sache.** Es ist ein Wechselspiel zwischen Ich und Umwelt.

Am **Anfang** der menschlichen Entwicklung bilden **Ich und Umwelt** noch eine natürliche **Einheit.** Das kleine Kind ist geistig-seelisch noch mit der **Umwelt verschmolzen.** Mit der Entwicklung des Ich tritt der Mensch aus dieser natürlichen Verbundenheit heraus. Interesse ist der Ausdruck dafür, dass diese **Verbindung zur Umwelt gesucht wird.**

Ich unterscheide dabei zwei Aspekte dieses Verbindungsprozesses, nämlich die **zentrische und**

die sphärische Aufmerksamkeit. Im ersten Fall ist das Bewusstsein punktuell auf Einzelheiten zentriert (Analyse), im zweiten Fall wird der Blick auf den gesamten Umkreis (Synthese) gerichtet.

Graphisch könnte dies so dargestellt werden.

Konzentration (zentrische Aufmerksamkeit)

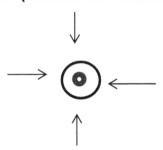

Beim Konzentrieren wird die Aufmerksamkeit im Ich zentriert. Das Ich darf aber die Verbindung zur Umwelt nicht gänzlich verlieren. Bei einer zu starken **Abgrenzung verschließt sich das Ich in sich selbst.** Im Extremfall führt das zum **Egoisten und Narzissten**, der nicht in der Lage ist, seine Aufmerksamkeit der Umwelt zuzuwenden.

Gleichzeitig ist ein Prozess der Öffnung nötig. Das **selbstbezogene Ich** muss **sich überschreiten** und der Umgebung (**sphärischen Aufmerksamkeit**) zuwenden. Das Bewusstsein ist auf die Sphäre gerichtet. Es geht nicht darum, sein Ich aufzugeben, sondern es in die Umwelt einzubringen.

Achtsamkeit (sphärische Aufmerksamkeit)

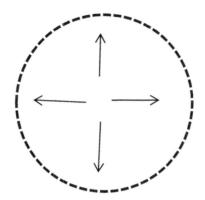

Auch dieser Prozess darf nicht zu einseitig vonstattengehen. Wer sich zu sehr hingibt, kann sich selbst verlieren. Es geht nicht um Selbstaufgabe, sondern um Selbsthingabe.

Im **westlichen Kulturraum** liegt der Schwerpunkt mehr auf der Zentrierung. Das Ich steht im Vordergrund. Aufmerksamkeit wird mehr im Sinne von **Konzentration** verstanden. Der Mensch soll sich **nicht ablenken** lassen, sondern sich ganz einer Sache zuwenden.

Im östlichen Kulturraum geht es eher um eine Zurücknahme des Ich. Das **Bewusstsein** wird nicht auf eine Sache zentriert, sondern es geht darum, alle Gedanken loszulassen. Achtsamkeitsübungen basieren schwerpunktmäßig auf einem sphärischen

Bewusstsein. Es ist ein Impuls der Hingabe. Es kommt darauf an, sich ganz dem hinzugeben, was gerade geschieht.

2.2 WERTE

Die Aufmerksamkeit **orientiert** sich an dem, was der Betreffende in seinem Leben für **sinnvoll** hält. Das **Sinn und Wertesystem** eines Menschen verleiht der Aufmerksamkeit die Richtung.

In den historischen Kulturen gab die Religion diese Werte vor. Heute müssen die Menschen diese mehr in sich selbst entdecken. Das Auffinden der Werte ist eher ein **Suchen als ein festes Wissen**. Ob etwas **gut oder schlecht**, **wertvoll oder schädlich** ist, muss in jeder Situation neu bewertet werden.

Es ist in jedem Menschen ein **unbewusstes Wissen** vorhanden, das aber erst ins Bewusstsein gehoben werden muss. Mit dem Begriff „**Gewissen**" wird darauf hingedeutet, dass es eine solche innere Stimme gibt. Goethe drückt das in seinem Faust mit den Worten aus: „**Ein guter Mensch in seinem dunklen Drange ist sich des rechten Weges wohl bewusst.**" (Goethe, Faust Prolog). Die Aufmerksamkeit richtet sich auf das, worauf einen diese innere Stimme hinweisen will.

2.3 BEWUSSTSEIN

Aufmerksam heißt **wach und bewusst** für eine Sache zu werden. Etwas, was vorher noch unbewusst war, wird **ins Bewusstsein** gebracht.

Diesen Standpunkt vertrat schon Sokrates. Er bezeichnet das bewusste **Erkennen** als „Hebammenkunst". Die Erkenntnis ist unbewusst da, muss aber ans **Licht der Welt** geholt werden. Durch Gespräche (sokratische Methode) kann das unbewusste Wissen ins Bewusstsein geholt werden.

In der Psychotherapie (Psychoanalyse) wird auch danach gestrebt, **unbewusste Gedanken und Motive ins Bewusstsein zu heben.** Eine bewusste Selbstkontrolle über das eigene Seelenleben kann erworben werden. Der Betreffende wird aufmerksam auf Dinge, die er vorher „verschlafen" (verdrängt) hat.

Im spirituellen Bereich wird vom „**Erwachen**" oder „**Erleuchtung**" gesprochen, wenn Geistiges bewusst gemacht wird.

Auch in der profanen Erkenntnis geht es darum sich eine **Sache bewusst zu machen.** Ein Schüler, der das Rechnen verstehen will, muss sich die einzelnen mathematischen Zusammenhänge bewusst machen.

Frei und selbstständig kann nur der handeln, der sich ein **„Bewusstsein vom eigenen Bewusstsein"** verschafft. Sobald wir wach sind, sind wir bewusst. So wie in der Kommunikationspsychologie der Satz gilt: **Man kann nicht „nicht kommunizieren",** kann für die Bewusstseinspsychologie gesagt werden: Man kann im Wachzustand **nicht „nichtbewusst" sein.** Wenn jemand zu einem anderen Menschen sagt: „Denke bitte auf keinen Fall an ein violettes Kamel!" ist diese Aufforderung nicht zu erfüllen. Das violette Kamel wird auf jedem Fall im Bewusstsein sein. Der Betreffende hat aber die Möglichkeit solche Bewusstseinsinhalte nicht weiter zu pflegen, indem er sein Bewusstsein auf etwas anderes richtet. Die Kunst besteht darin, **solche Vorstellungen** bewusst in sich leben zu lassen, die der Betreffende für wertvoll hält.

2.4 DER AUFMERKSAMKEITSPROZESS

Niemand kann dauernd aufmerksam sein. Aufmerksamkeit muss **ergriffen,** aber auch wieder **losgelassen** werden. Für einen gesunden Aufmerksamkeitsprozesses ist ein **Wechsel** von **Tätig Sein (Wachen)** und **Ausruhen (Schlafen)** nötig. Ein guter Schlaf stärkt die Wachheit und ein waches „Tätig Sein" stärkt den Schlaf.

Bewusstes und Unbewusstes ergänzen sich gegenseitig. Das Absinken lassen ins Unbewusste ist notwendig, um besser ins Bewusste finden zu können. **Wichtige Entscheidungen sollten überschlafen werden.** In den russischen Märchen heißt es oft: **„Der Morgen ist weiser als der Abend".** Nicht umsonst wird in religiösen und spirituellen Kreisen am Morgen und am Abend eine Gebet oder eine Meditation empfohlen.

Jeder Aufmerksamkeitsprozess verläuft in einem Rhythmus. In der Schule sollten bestimmte Fächer, die mehr im Denken und Vorstellen beheimatet sind, wie **Mathematik, Grammatik oder Philosophie** abwechseln mit Tätigkeitsfächern, **wie Sport, Handarbeit oder Werken.**

Auch innerhalb eine Faches gilt es auf einen solchen Rhythmus zu achten. Nach der **begrifflichen Darstellung** eines Themas ist es sinnvoll praktisch tätig zu werden. Ähnliches gilt für das Gespräch. Wenn jemand eine längere Zeit nur **zuhören und aufnehmen** konnte, braucht er wieder die Möglichkeit **selbst aktiv zu werden und sich zu äußern.**

Das **Gesetz von wacher Anspannen und Loslassen** kann jeder erleben, der etwas verloren hat und wiederfinden will. Krampfhaftes Suchen bringt oft wenig Erfolg. Wer dagegen innerlich loslässt und ganz bewusst an etwas anderes denkt, weiß plötzlich, wo die Sache liegt.

Auch intrapsychisch ist ein solcher Bewusstseinswechsel nötig. Bei jedem Erkenntnisprozess geht es darum, sich erst mit der Sache innerlich zu verbinden („Eins mit ihm zu werden") und dann sich wieder zu lösen, um ein sich ein sachliches Urteil bilden zu können. Ein Rhythmus von **hingebender Verbindung und absetzender Reflexion** ist angesagt. In der Psychologie wird vom **Identifizieren und Disidentifizieren** gesprochen.

2.5 GEISTIGE PRÄSENZ
(Achtsamkeit)

Aufmerksam zu sein, heißt sein äußeres Handeln „innerlich bewusst" zu begleiten. Äußeres Tun und innere Vorstellung müssen eine **Einheit** werden.

Kleine Kinder begleiten ihr Tun sprachlich, indem sie beispielsweise ihre Spielzeugautos schieben und dabei „brrmm" „brrmm" „brrmm" sagen.

Das **sprachlich-begriffliche Begleiten** der gerade auszuführenden **Handlung** ist **Urbild für den Aufmerksamkeitsprozess.** Das kann in vielen Fällen praktisch angewendet werden.

Der Fahrlehrer, der den Fahrschülern das Autofahren beibringt, geht auch so vor. Er sagt beispielsweise beim Linksabbiegen: „**Links - Blinker setzen - im Rückspiegel den nachfahrenden Verkehr beachten – einordnen - Gegenverkehr abwarten - abbiegen**" usw. Jede einzelne Teilhandlung wird mit Worten bewusst begleitet.

Jeder Lehrer weiß, dass es für die Kinder eine außerordentliche Hilfe ist, wenn beim Erlernen einer neuen Tätigkeit jeder einzelne Schritt sprachlich-begrifflich begleitet wird. Manche kennen noch aus ihrer Kindheit solche Wendungen wie beispielsweise beim schriftlichen Addieren, etwa:

$69 + 74 = ?$

(neunundsechzig und vierundsiebzig ist wieviel?)

$9 + 4 = 13$ (neun und vier ist dreizehn; drei an Eins gemerkt)

$7+6=13$ (sieben und sechs ist dreizehn und das gemerkte Eine ist vierzehn; schreibe 14.

143

Das Ergebnis ist also 143.

Dieser elementare Aufmerksamkeitsprozess lässt sich auf alle Handlungen anwenden. Wer merkt, dass er gerade unkonzentriert ist, kann seine Aufmerksamkeit stärken, indem er sein momentanes Tun mit Worten begleitet, z.B.: „Jetzt sitze ich, jetzt erhebe ich mich und jetzt gehe zur Tür, usw." Damit schließt er sein Bewusstsein an sein gegenwärtiges Handeln an.

Aufmerksamkeit wird jeden Augenblick neu geschaffen. Es kommt darauf an, im Augenblick geistig präsent zu sein. Darauf deuten Begriffe wie **Geistesgegenwart, Präsenz, Achtsamkeit, Wachheit, Bewusstheit, Identifikation** usw. hin.

2.6 ICHPROZESS

Der Schöpfer der Aufmerksamkeit ist das „individuelle menschliche Ich". Dieses schafft Aufmerksamkeit jeden Augenblick neu. Es ist eine Entscheidung der individuellen Persönlichkeit, worauf und wie sie ihre Aufmerksamkeit richten will.

Konzentration und Interesse lässt sich nur **kurzfristig** dadurch erzeugen, dass jemand einem anderen sagt: **„Pass doch mal endlich auf!"** oder „Kannst Du nicht etwas mehr Interesse für dies oder das zeigen?" Eine solche Aufforderung lenkt die Aufmerksamkeit von außen.

Der innere Bezug zur Aufmerksamkeit wird nur dadurch erreicht, dass der Betreffende eine solche Aufforderung **an sich selbst stellt.** Als Beziehungspartner hat man nur die Möglichkeit, sich so verhalten, dass der Partner leichter zu seiner Aufmerksamkeit finden kann.

Oft werden Menschen als unaufmerksam bezeichnet, wenn sie kein Interesse für das haben, was ihre Mitmenschen für nötig halten. Der kleine Junge, der sich in der Mathematikstunde für ein Eichhörnchen vor dem Fenster interessiert, wird vom Mathematiklehrer wahrscheinlich als unaufmerksam bezeichnet, obwohl er sehr aufmerksam das Tierchen beobachtet.

Jeder muss selbst Kontrolle über sein Seelenleben, seine Gedanken, Gefühle und seinen Willen zu bekommen. In der modernen Geisteswissenschaft R. Steiners gibt es Übungen zur **Gedankenkontrolle, Willenskontrolle** und zur **Gefühlskontrolle.**[3] Auch in verschiedenen **Psychologierichtungen** gibt es Vorschläge. **Assagioli** beschreibt beispielsweise in seiner Psychosynthese eine ganze Reihe von Übungen zur Schulung des Willens.[4]

Das Ich bestimmt worauf es seine Aufmerksamkeit richten will. Jeder Mensch muss den Schulungsprozess seiner Aufmerksamkeit selbst in die Hand nehmen. In den folgenden Kapiteln werden Aufgaben und Übungen beschrieben, die dabei verwendet werden können.

---

[3] R.Steiner : Wie erlangt man Erkenntnisse der höheren Welten, R.Steiner Verlag 1961
[4] Assagioli Roberto Die Schulung des Willens Junfermann Paderborn 1991

KAPITEL III

BEWEGUNG UND GESTALTUNG

Leibergreifung und Werkgestaltung

3. BEWEGUNG UND GESTALTUNG

Aufmerksamkeit wird zunächst auf der **leiblichen Bewegungsebene entwickelt.** Es geht darum, seinen eigenen Leib und die Umwelt zu ergreifen. Aufmerksamkeit wird an den Dingen geschult, mit denen **hantiert** wird. Gleichgültig ob ein Turm aus Bausteinen gebaut, gesägt, gehobelt, geschliffen usw. wird, immer gilt es mit seinem Bewusstsein bei der Art von Tätigkeit zu sein, die gerade ausführt wird. Jede **handwerkliche Tätigkeit** ist eine Form der Aufmerksamkeitsschulung.

Beim **Jonglieren, Seil balancieren, Artistik** usw. wird die Aufmerksamkeit auf körperlicher Ebene besonders intensiv geübt. In anderer Weise wird Konzentration durch die **Bewegungskünste des Zeichnens, Malens und Plastizierens** entwickelt. Jeder, der schon einmal einen Gegenstand gezeichnet oder sich im Plastizieren geübt hat, weiß welche Konzentration solche Tätigkeiten erfordern.

Ich beschreibe in diesem Kapitel Aufmerksamkeitsübungen, welche in erster Linie an der **Bewegung** ansetzen.

Die Künste sind ein Bestandteil der natürlichen Aufmerksamkeitsschulung. Wer gut „künstlerisch" arbeitet, braucht keine „künstlichen" Konzentrationsübungen.

3.1 LEIBLICHE ÜBUNGEN

Alle Übungen, die helfen sich als **Leibwesen** in **Raum und Zeit** zu orientieren, sind Grundlagen der Aufmerksamkeit. Am Anfang des Lebens müssen die Kinder ihren Leib erst einmal wahrnehmen. Der **eigene Körper im Raum will ergriffen** werden. Wir beschreiben hier einige Übungen der Leib- und Raumergreifung. Viele solcher Tätigkeiten wurden früher ganz selbstverständlich in Spielen und kleinen Sprüchen im Umgang mit kleinen Kindern gepflegt.

In der Waldorfpädagogik werden solche Bewegungen und Sprüche im sogenannten „rhythmischen Teil" am Beginn des Hauptunterrichtes gepflegt. Viele Bewegungsformen und Sprüche sind von Pädagogen zusammengetragen worden ohne dass die einzelnen Autoren noch bestimmt werden können. Auch ich habe mich in den folgenden Übungen an diesem Spruchgut bedient.[5] Andere sind auch in meinem Unterricht aus der Situation heraus entstanden.

---

[5] Siehe Inhaltverzeichnis: Bühler, Ritter, Garff, Diestel, Preißler, usw.

Übung: Körperteile bestimmen
Es werden alle möglichen Körperteile bestimmt.
Beispielsweise wird auf Ohr, Wange, Schläfe, Nacken, Schultern, Ellbogen, Hüfte, Oberschenkel, Schienbein, Knie, Waden, Fersen, usw. gedeutet und die entsprechenden Körperteile benannt.

Übung: Körpergeographie
Lege Deine rechte Hand auf deinen Kopf!
Berühre mit der Nase Dein linkes Knie!
Gehe mit dem rechten Ellbogen auf Deinen linken Oberschenkel usw.

Übung: Berührte Körperstellen bestimmen
Es werden bestimmte Körperstellen berührt. Das Kind hat dabei die Augen geschlossen und soll sagen, wo es berührt wurde.

Übung: Finger suchen
Die Augen werden geschlossen. Dann sagt der Begleiter: „Der Daumen der rechten Hand soll auf den Zeigefinger der linken Hand. Der Zeigefinger der rechten Hand soll auf den Ringfinger der linken Hand" usw., bis an jeder Hand nur noch ein Finger übrig ist. Die Kinder sollen dann die Finger benennen, die noch frei sind.

Übung: Raumes Richtungen
Das Kind bewegt sich von seinem Standpunkt aus in die sechs Raumes Richtungen und spricht dabei:

Vorne Mitte Hinten Mitte
Rechts Mitte Links Mitte
Oben Mitte Unten Mitte

Bei dem Wort „vorne" wird ein Schritt nach vorne gemacht, bei dem Wort „Mitte" nimmt es wieder seinen Standpunkt ein, bei dem Wort „hinten" erfolgt ein Schritt zurück. Dann geht es bei „unten" in die Hocke, bei dem Wort „oben" auf die Zehenspitzen usw. Es soll dabei möglichst rhythmisch gesprochen werden, sodass ein schwingendes Bewegen entsteht.

Übung: Blinde Raumorientierung

Das Kind soll mit geschlossenen Augen bestimmte Anweisungen befolgen, z.B. zwei Schritte nach rechts, halbe Drehung links herum, drei Schritte nach links, Vierteldrehung rechts herum, usw. Zum Schluss soll das Kind auf einen bestimmten Gegenstand im Raum z. B die Türe deuten.

Übung: Qualität der Raumes Richtungen

Bei folgendem Spruch sollen die Präsenz in Zeit und Raum erlebt werden. Das Kind spricht und bewegt sich dabei entsprechend.

UNTEN: DIE ERDE SIE TRÄGT MICH
OBEN: LUFT UND HIMMEL UMHÜLLT MICH
HINTEN: VERGANGENHEIT HÄLT MICH
VORNE: DIE ZUKUNFT ÖFFNET SICH
RECHTS: RECHTS MEINE TATKRAFT
LINKS: LINKS MEINE HINGABE
MITTE: ICH STEHE IN DER MITTE

Der Übende spürt den Bodenkontakt an seinen Füßen und versucht mit den Handflächen nach unten zu spüren und spricht dazu: "Die Erde sie trägt mich". Dann wird mit den Armen die Sphäre gespürt und dazu gesprochen: "Luft und Himmel umhüllt mich." Der Übende spürt seinen Rücken, geht einen Schritt zurück und spricht dazu " Vergangenheit hält mich". Dann geht er einen Schritt mit offenen Armen nach vorne und spricht dazu: "Die Zukunft öffnet sich." Dann wird ein Schritt nach rechts gegangen und die rechte Hand von oben nach unten bewegt mit den Worten: "Rechts meine Tatkraft"; dann ein Schritt nach links mit öffnender

Armgebärde: "Links meine Hingabe"; schließlich wieder zurück in die Mitte: "Ich stehe in der Mitte".

Übung: Raumgefühl

Der Übende fasst einen Punkt im Raum ins Auge (z.B. die Türe). Dann schätzt er, wie viele Schritte (Fußlängen, Hüpfer, usw.) er dorthin benötigt. Nun führt er die Bewegung aus und prüft, wie gut er geschätzt hat.

Übung: Abstände fühlen

Der Übende legt einige Stäbe in regelmäßigen Abständen im Zimmer aus. Dann schaut er sich die Anordnung an und versucht „blind" (mit geschlossenen Augen) über die Stäbe zu laufen.

Übung: Links -rechts Überkreuzung
(Pferdchenspruch)

> Komm mein Pferdchen, komm herbei
> lustig ist die Reiterei.
> Schlag die Hufen nur fest an
> Dass der Ritt gelingen kann.
> Und den schweren Berg hinauf
> Da gibt's Gekeuch' und viel Geschnauf'

Wirbelt auch der Sturm so fest
Uns das nicht verzagen lässt

In den ersten beiden Zeilen schlägt der Übende (im Rhythmus des Gedichts) überkreuzt mit der Hand auf den gegenüberliegenden Oberschenkel. In den nächsten beiden Zeilen schlägt er mit der Hand hinten überkreuzt auf die Fußsohle. In den nächsten Zeilen geht er mit dem Ellbogen aufs gegenüberliegende Knie. Schließlich bewegt er in den letzten beiden Zeilen den Arm jeweils überkreuzt zur gegenüberliegenden Schulter und überkreuzt dabei gleichzeitig die Beine.

Übung : Scherenschleifer

Scheren schleifen,
Scheren schleifen ist die rechte Kunst
die rechte Hand, die linke Hand
die geb' ich Dir als Unterpfand
da hast du sie, da nimm sie
da hast sie alle beide.

(Autor unbekannt)

Diese Übung wird zu zweit ausgeführt. In den ersten beiden Zeilen werden die beiden Hände rhythmisch aneinander gerieben. Dann klatscht Partner A die rechte Hand und die linke Hand von Partner B (jeweils überkreuzt). In den letzten beiden Zeilen schließlich klatschen beide Partner die Hände geradlinig aufeinander.

Übung: Symmetrieformen laufen
Es wird eine Form (Wellenlinie, Kreis Dreieck usw.) mit der Hand in die Luft gezeichnet. Dann wird diese Form auf dem Boden gelaufen.

Übung: Leibwahrnehmung von unten nach oben

Zunächst geht der Übende in die Hocke und richtet sich langsam in den geraden Stand auf. Dabei werden – jeweils nach dem Text – von Unten nach Oben Fußspitzen, Knie, Oberschenkel, Hüften, Unterbauch, Oberbauch, Brust Schultern und Wangen und Kopf berührt. Dann geht es wieder von Oben nach Unten. Dabei wird folgendes Vers'chen gesprochen.

Tippel, Tappel kleiner Zwerg
Steig auf einen hohen Berg
Steig zum Gipfel mit viel Glück
Hast Du einen schönen Blick
Tippel, Tappel, kleiner Zwerg
Komm herunter von dem Berg

Schlüpf dann in ein Mauseloch
Deine Mütze seh' ich noch.

Übung: Oben Unten Mitte

Hoch auf dem Berg (auf den Zehenspitzen stehen)
und tief im Tal (Hocke)
Schön auf der Welt (Normaler Stand)
Ist's überall.

Übung: Ich bin ja die Welle

Ich bin ja die Welle
Da lauf ich so schnelle
So fröhlich, so munter
hinauf und hinunter
bald unten, bald oben
gesunken, gehoben
und dann schlüpf ich juchhe
in den Mummelwaldsee

Dazu wird mit dem ganzen Körper eine rhythmische
Wellenbewegung in die Streckung und die Hocke
gemacht. Schließlich endet die Bewegung bei dem
Wort „Mummelwaldsee" in der Hocke.

Übung: Wach sei mein Haupt

Mit folgendem Spruch wird eine bewusste Leib-wahrnehmung angeregt.

Wach sei mein Haupt	(Hände an den Kopf)
Liebend mein Herz	(Hände ans Herz)
Helfend die Hand	(Hände geöffnet)
Was ich dann tu	(Rechter Fuß nach rechts)
Recht soll es sein	(Linker Fuß nach links)
Schön fromm und gut	(Sprung in den Stand)

Übung: Gleichgewichtsübung

Es steht ein Baum auf freiem Feld   (Aufrecht   ste-hen)
Fest die Wurzeln in die Erde er hält (Stampfen)
Die Äste breitet er in die Welt (Arme in die Waag-rechte)
Rechts ein Apfel, (Stoffball in die rechte Hand)
links ein Apfel (Stoffball in die linke Hand)
Oben ein Nest (Stoffball auf den Kopf)

Übung: Drehen und Hüpfen

Der Wind bläst alles von der Stell

Der rechte Arm er dreht sich schnell (rechten Arm drehen)
Der Wind bläst alles von der Stell (linken Arm drehen)
Der linke Arm er dreht sich schnell
Nun wirbeln beide im Kreis herum (Beide Arme drehen)
Die Knie bleiben auch nicht stumm
Nun geht es in die Lüfte gar. (Hüpfen und Arme drehen)
Das ist doch wirklich wunderbar.

Die bewusste Kontrolle **des eigenen Leibes** steht am Anfang des Aufmerksamkeitsprozesses. Am Beginn des Lebens lernt das kleine Kind seinen **Körper** immer mehr im Raum zu **beherrschen**. Zunächst werden die Mund und Schluckbewegungen, sowie die Augenbewegungen kontrolliert. Dann bekommt das Kind Kontrolle über seine Hände und Arme, indem es lernt verschiedene Dinge zu greifen und Loszulassen. Die Beine und Füße werden ergriffen, indem das Kind Kriechen, Krabbeln und Laufen lernt. Synchron mit der Leibergreifung erwacht das Bewusstsein. Leibergreifung und Bewusstseinsentwicklung gehen Hand in Hand. Schon in den 30 −er Jahren des letzten Jahrhundert haben russische Psychologen darauf hingewiesen, dass die Intelligenzentwicklung umso höher ist, je besser das körperliche Geschick trainiert wurde.

Die körperlichen Fähigkeiten werden im Laufe der Entwicklung immer weiter ausgebildet. Bald beherrscht das Kind alle möglichen körperlichen Fähigkeiten. Nicht umsonst sind das **Balancieren, Artistik und Jonglieren Urbilder der Konzentration**. Viele Kinder üben im täglichen Spiel ihre Aufmerksamkeit auf natürliche Weise. Oft ist aber auch eine Anregung von außen nötig.

Übung: Gehen auf einem Balken.
Das Kind balanciert auf einem Balken und spricht dabei.

Schritt für Schritt geh ich voran (normal laufen)
Geh auf meiner Lebensbahn (normal laufen)
Halte fest das Gleichgewicht (auf den Zehenspitzen balancieren)
Fürcht' mich vor dem Abgrund nicht(Zehenspitzen)

Übung: Rollenbalancieren

Auf Teppichrolle oder Rundholz durch Zimmer rollen, indem das Kind mit den Füßen darauf stehend sich fortbewegt.

Übung: Balancieren auf einem dicken Seil
Übung: Balancieren auf Schwebebalken
Übung: Balancieren auf Balancierscheibe
Übung: Balancieren mit einer Kupferstange auf dem Kopf
Übung: Pedalo fahren
Übung: Stelzen laufen
Übung: Einrad fahren

Übung: Tastsäckchen
In einen kleinen Sack werden verschiedene Gegenstände versteckt, wie z.B. eine Muschel, ein Stein, eine Spielmaus, ein Nagel, usw. Diese werden nun von dem Kind ertastet.

Übung: Buchstaben ertasten
In einem Säckchen befinden sich Holzbuchstaben, welche ertastet werden sollen.

Übung: Einige Buchstaben der Blindenschrift lernen.

Übung: Blind im Zimmer orientieren
Es werden die Augen verbunden. Dann wird versucht vorsichtig Gegenstände im Zimmer zu ertasten.

Übung: Blind in einer Gruppe orientieren
Die Kinder sitzen im Kreis in einer Gruppe. Ein Kind in der Mitte versucht mit verbundenen Augen Gesichter zu ertasten und seinen Namen zu sagen.

Übung: Körperhaltung ertasten
Ein Partner nimmt eine gewisse Körperhaltung ein, z.B. auf einem Bein stehen und mit der rechten Hand an die Nase fassen. Das andere Kind soll nun durch blindes Abtasten diese Körperhaltung finden und nachahmen.

Übung: Seilhüpfen durchs fremd geschwungene Seil

Das Kind springt durch ein von zwei Menschen geschwungenes Seil. Dabei können die Übungen erschwert werden, indem das Kind beispielsweise in das schon schwingende Seil hineinspringt.

Übung: Seilhüpfen durch das selbst geschwungene Seil

Das Seilhüpfen gehört zu den zentralen Koordinationsleistungen für Hand Fuß und Auge. Dabei lassen sich viele immer schwieriger werdende Variationen ausdenken: z.B. mit beiden Beinen, mit einem Bein, rückwärts schwingen, gemeinsam mit einem Partner springen, das Seil überkreuzt halten usw.

Übung: Trampolinspringen

Auch mit dem Trampolin lässt sich die Geschicklichkeit beim Springen steigern. Da können die verschiedensten Sprungtechniken und Überschläge probiert werden.

Übung: Kästchenspringen

Das Kästchen springen spielten früher die Kinder in Hinterhöfen ohne Anregung durch die Erwachsenen. Sie zeichnen Felder auf den Boden. Dann werfen Steinchen in die Felder geworfen und hüpfend angesteuert. Diese werden aufgehoben, zurückgebracht und das nächste Fe3ld in Angriff genommen.

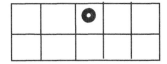

Übung: Stampfen:
Die Kinder stampfen im Rhythmus des Verses:

Erdenkraft in mir schafft
Beim Stampfen beim Stampfen

da fühl ich die Erde,
beim Stampfen, beim Stampfen
die Kraft in mir werde.

Übung: Tippeln
Die Kinder tippeln die Silben im Rhythmus:
Himmelslicht durch mich spricht
Beim Tippeln, beim Tippeln, da spür ich das Licht,
beim Tippeln, beim Tippeln, da fürcht' ich mich
nicht

Übung: Zehenspitzen laufen
Auf den Zehen auf den Zehen
locker leicht die Winde wehen.

Übung: Auf den Fersen laufen
Auf den Hacken, auf den Hacken
müssen wir uns schwer abrackern.

Übung: Stampfen - Elefantenschritt:
Das Kind stampft und fasst dabei mit seiner Hand
an die Nase, während es spricht:

Der Elefant mit schwerem Schritt
Nimmt seinen langen Rüssel mit
Es dröhnt und tönt der Urwaldpfad
Man hört das Stampfen früh und spat.

Übung: Tippeln - Vögel:

Die Vöglein fliegen schnell herbei
Sie sind so froh und frisch und frei
So leicht wie eine Feder gar
Man hört kein Tön'chen da fürwahr

Übung: Seitgalopp- Antilopen

Die Antilopen springen schnell
Sie springen fort von Stell zu Stell
Sie springen über Stock und Stein
Und wollen immer munter sein

Übung: Fersenschritt- Ziegenbock

Der Ziegenbock, der Ziegenbock
Der kommt mit seinem Zottelrock
Die Fersen krachen auf den Stein
Das muss beim Ziegenbock so sein.

Übung: Innenkanten der Füße -Enten

Die Enten watscheln durch das Gras
Da werden ihre Füße nass.
Übung: Außenkanten der Füße- Gockelhahn

Der stolze Hahn kommt auch daher
Und meint er wär ein großer Herr.

Übung: Rhythmisches Gehen, Laufen Springen
(Nach Bothmer)[6]

Ich gehe, ich gehe	(Gehen)
Ich lauf meine Bahn	(Laufen)
Ich springe, ich springe	(Springen)
Ich spring und halt an	(Sprung in den Stand)
Ich spring auf die Mauer	(Sprung- Arme oben)
Ich schwing mich zum Turm	(Arme schwingen)
Und läute und läute	(in der Hocke mitschwingen)
die Glocken im Sturm	(in der Hocke mitschwingen)

Übung: Gehen
Schritt Schritt Schritt Schritt Schritt Schritt Schritt
der stolze Reiter, der kommt mit

Übung: Laufen
Beim Laufen, beim Laufen, da eile ich fort
Da geht es so schnelle von Ort zu Ort

---

[6] Bothmer, Fritz Graf von: Gymnastische Erziehung, Verlag
Freies Geistesleben Stuttgart 1981

Übung: Traben

Trab, trab, trab, trab, trab, trab, trab
mein Pferdchen läuft den Berg hinab

Übung: Rhythmus „Galopp" (Kurz Lang)

Galopp, galopp, galopp, galopp
Mein Pferdchen, das macht hopp hopp hopp

Übung Rhythmus „Galoppe" (kurz lang kurz)

Galoppe galoppe so macht Liselotte
Galoppe galoppe so macht Liselotte

Übung: Zwei-Bein-Hüpfen in der Hocke

Ich bin das Fröschlein Quackulein
und hüpfe in die Welt hinein
ich hüpfe zart, ich hüpfe sacht
bis das Wasser plitsch-platsch macht

Übung: Hüpfen auf dem rechten Bein
Ich bin das Männchen klitzeklein
und hüpf so gern auf einem Bein
Dieses soll das rechte sein,
ich bin das Männchen Klitzeklein

Übung: Hüpfen auf dem linken Bein
Ich bin das Männchen klitzeklein
und hüpf so gern auf einem Bein
Dieses soll das linke sein,
ich bin das Männchen Klitzeklein.

Übung: Ballübungen an der Wand
Geschicklichkeitsübungen mit dem Ball an der
Wand, wie sie viele Kinder früher als Beschäftigung
am Nachmittag getrieben spielten.

- rechte Hand wirft beide fangen
- linke Hand wirft und beide fangen
- rechte Hand wirft und fängt
- linke Hand wirft und fängt
- rechte Hand wirft und linke Hand fängt
- linke Hand wirft und rechte Hand fängt
- rechte Hand wirft, einmal klatschen und fangen
- rechte Hand wirft eine Körperdrehung um sich
selbst und fangen,
usw.

Übung: Ballübungen mit Kniebeugen
Das Kind wirft kleiner Tennisball hoch und streckt
sich dabei. Es fängt ihn wieder auf und geht dabei
in die Hocke. Es bewegt sich synchron mit dem Ball
auf und nieder und spricht dabei:
Zum Himmel zur Erde

hinaus und hinein
Im Werfen und Fangen
denn so muss es sein

Zum Himmel zur Erde
hinauf und hinunter
so spielen wir fröhlich
so werfen wir munter.

Übung: Wurf- und Fangübungen (rechte Hand – linke Hand)

Der Übende nimmt je einen Stoffball in die rechte und in die linke Hand. Dann wirft er den Ball der rechten Hand in die Höhe, nimmt schnell den anderen Ball aus der linken Hand auf und fängt den geworfenen Ball mit der linken Hand. Das lässt sich auch mit Wurftüchern, anderen Bällen, Ringen und Keulen üben.

Übung: Wurf- und Fangübungen
Linke Hand – rechte Hand

Das Gleiche wie die vorhergehende Übung; doch wird nun mit der linken Hand begonnen.

Übung: Überkreuzwurf

Der Übende nimmt wieder einen Stoffball in die rechte und linke Hand. Nun wirft er den Ball der rechten Hand leicht schräg nach oben in die Richtung der linken Hand und sofort danach den Ball der linken Hand in Richtung der rechten. Dann fängt er mit der linken Hand den geworfenen Ball der rechten Hand, gleich danach mit der rechten Hand den anderen. Der Rhythmus, den er dazu sprechen kann, lautet: „rechts-links fang fang!" Diese Übung ist eine Basisübung des Jonglierens.

Übung 71: Dreiball - Jonglage

Nun nimmt der Übende in die rechte Hand zwei Stoffbälle, in die linke Hand einen. Dann wirft er mit der rechten Hand den ersten Ball schräg in die Luft, gleich danach mit der linken den zweiten Ball, dann sofort den dritten Ball mit der rechten Hand. Während immer ein Ball in der Luft ist, hat er Zeit die anderen Bälle mit der Hand zu bedienen. Das erfordert höchste Konzentration.

Meist ist es leichter mit Tüchern anzufangen. Dann kann mit Ringen und Keulen die Jonglage beliebig gesteigert werden.

Übung: Diabolo
Das Diabolo ist ein Doppelkegel, der in der Mitte mit einer Achse verbunden ist. Das Diabolo wird auf ein Seil gesetzt, dessen Enden an zwei Holzstücken befestigt sind. Durch Bewegen des Seiles kann das Diabolo in Rotation versetzt werden und alle möglichen Wurfübungen gemacht werden.

Übung: Tellerdrehen
Ein Jonglierteller wird mit einem Stab in drehende Bewegung versetzt. Dann können mit dem rotierenden Teller alle möglichen Kunststückchen ausgeführt werden.

Übung: Devilstick

Der Devilstick (Teufelsstab) ist ein Jongliergerät. Er besteht aus einem etwa 60 cm langen Holzstab, der sich in der Mitte verjüngt. Der Jongleur wirft diesen Stock mit Hilfe zweier gummierter Handstöcke in die Luft, lässt ihn drehen und wirbeln und fängt ihn dabei immer wieder auf.

3.2 HANDWERKLICHE ÜBUNGEN

Handwerkliche Tätigkeiten schulen auf natürliche Weise das Körpergeschick. Im Spiel tun dies kleine Kinder von alleine. Da werden Gegenstände ergriffen und losgelassen, Türme aus Bausteinen gebaut usw. Jede Tätigkeit (das Tischdecken, Getränke Einschenken, Aufwaschen oder Putzen) lässt sich aufmerksam oder achtlos durchführen.

Schulfächer wie **Handwerk** oder **Handarbeit** sind für die Aufmerksamkeitsentwicklung genauso wichtig wie das Fach „Deutsch" oder „Mathematik".

Bei jeder handwerklichen Tätigkeit geschieht die Korrektur einer nicht ganz aufmerksam vollzogenen Handlung durch die Sache selbst. Ein schief gesägtes Brett passt eben nicht in das Möbelstück. Der Handwerker kann selbst sehen, ob er schlampig oder aufmerksam gearbeitet hat.

3.3 BEWEGUNGSKÜNSTE

Zur leiblichen Aufmerksamkeitsschulung gehören auch die Bewegungskünste. Da kommt es nicht nur auf die äußere Geschicklichkeit an, sondern auch noch auf ein inneres Mitempfinden.

3.3.1 Yoga

Eine der ältesten Bewegungskünste, die gleichzeitig auch geistig-seelische Übungen sind, ist das Yoga. Auch wenn diese aus einem ganz anderen Kulturkreis stammen, können sie auch heute noch dazu dienen, die Aufmerksamkeit elementar zu schulen.

Übung: Yogaübungen
Man suche sich aus einem Yoga Kurs Übungen aus, die man zu Hause üben will.

3.3.2 Tanzen

In den spirituellen Kulturen des Altertums gehörte der Tanz (rituelle afrikanische Tänze) oder Tempeltanz (indischer Tempeltanz) zum Ausdrucksrepertoire des geistigen Selbstverständnisses einer Kultur dazu.

In den Volkstänzen kommt etwas von der speziellen Charakteristik einer Volksgruppe zum Ausdruck.

Übung: Volkstänze/Kreistänze
Volkstänze und Kreistänze wurden auch in Europa noch lange Zeit bis ins zwanzigste Jahrhundert gepflegt. Heute werden sie teilweise wieder aufgegriffen, sodass die konzentrierende Wirkung dieser Bewegungsform zum Ausdruck kommen kann.

Übung: Klassische Standardtänze

Selbst als distanzierter Beobachter kann jeder unmittelbar sehen, wie solche Tänze höchste Aufmerksamkeit erfordern.

In den profanen Standardtänzen eines Walzers, Tangos oder Foxtrotts erleben die Ausführenden ein gemeinsames Schwingen und Begegnen in einer musikalischen Form. In den Tänzen in Diskotheken und Festivals ist noch etwas von dieser Qualität zu spüren.

Übung: Freies Tanzen nach Musik
Wählen Sie sich eine Musik aus, die Sie lieben und bewegen Sie sich frei nach den Klängen und dem Rhythmus

Übung: Ausdruckstänze[7]

Übung: Kindertänze[8]

Ringel Ringel Reihen
Sind der Kinder Dreien
Tanzen um den Hollerbusch
Machen alle husch, husch, husch.

---

[7] z.B. Antara /Helm Healing Journey Pan Tao Musikverlag 1998
[8] z.B. Anneliese Gaß Tutt Tanzkarussell, Fidula Verlag Boppard 1972

3.3.3 Eurythmie

In der Bewegungskunst der **Eurythmie** wird Sprache und Musik tänzerisch zum Ausdruck gebracht. Das Üben der Lautgestalt der Sprache oder der Intervalle in der Musik ist eine moderne Form künstlerischer Bewegungsgestaltung.

Übung: Eurythmie[9]
Suchen Sie sich aus einem Eurythmie Kurs Übungen aus, die Ihnen gut tun und die sie üben möchte

3.4 PLASTISCH ZEICHNERISCHE ÜBUNGEN

3.4.1 Zeichnen

Formen sind das Ergebnis einer festgewordenen Bewegungsgeste. In ihnen drücken sich grundlegende Gestaltungskräfte aus.

Das Zeichnen ist eine wichtige Form der Konzentration. Kleine Kinder nutzen das Zeichnen, um sich mit der Welt innerlich zu verbinden.

----

[9] R.Steiner : Eurythmie als sichtbare Sprache , R.Steiner Verlag, 5.Auflage 1990

In der Waldorfschule gibt es ein eigenes Fach **„Formenzeichnen"**, in welchem die Kinder grundlegende Formen oft zusammen mit unterstützenden Sprüchen zu Papier bringen. Die Formen werden dabei auf dem Boden gelaufen, mit der Hand in die Luft gezeichnet, getanzt usw.

Oft geht bei kleinen Kindern sogar die Zunge mit, wenn eine Form gezeichnet wird. Manche Lehrer verwenden auch das Zeichnen von Mandala Formen, um unruhige Kinder wieder zu zentrieren.

Besonders konzentrierend wirkt es, wenn beim Zeichnen entsprechende Worte dazu gesprochen werden.

Übung: Gerade

Fest und grade stehe ich
Wie ein Strahl des Sonnenlichts
Will nicht wanken und nicht schwanken
Sondern unserem Herrgott danken
Dass ich grade stehen kann
Als ein Mensch als Frau als Mann.

Übung: Kreis

Wie der große Lauf der Sonne
spendet allen Freud und Wonne
So folg ich auf meiner Bahn
Sonnenlicht geh du voran

Übung: Lemniskate

Im Atemholen sind zweierlei Gnaden
Die Luft einziehen sich ihrer entladen
Jenes bedrängt, dieses erfrischt
So wunderbar ist das Leben gemischt

Übung: Spirale nach innen und außen

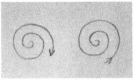

Aus der Weite in dem Haus
ruhen wir uns drinnen aus
laufen wieder in die Welt
was uns trefflich wohlgefällt

Übung: Fünfstern

Stern in mir
Leuchte hier
strahl mich an
hell und klar
wunderbar

Neben den Grundformen sind Symmetrieformen eine weitere Stufe des Formenzeichnens. Dabei werden die Formen an einer waagrechten oder senkrechten Linie gespiegelt.

Übung: Spiegelung an einer senkrechten Achse

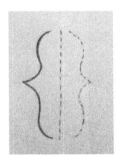

Übung: Spiegelung an einer waagrechten Achse

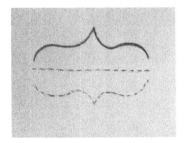

Übung: Spiegelung an waagrechter und senkrechter Achse

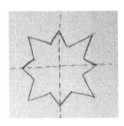

Übung: griechische Formen

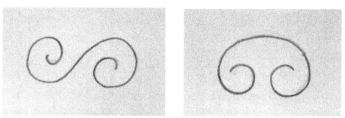

Übung: Bandmuster/Ornamentik
Beispiel:

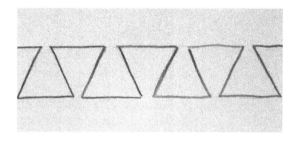

Übung Zentralformen/ Mandalas

Die Mandalas sind so aufgebaut, dass sich Formen um ein Zentrum herum differenzieren.

Übung: Flechtmuster

Flechtmuster erfordern höchste Koordinationsleistungen. Langobardische und irische Flechtmuster zeigen uns welch hohe Kunst in früheren Epochen auf dem Gebiet der reinen Zeichnung gepflegt wurde. Sie lassen sich in beliebiger Schwierigkeit ausführen.

Das rein reproduktive Abzeichnen ist weniger wirksam. Es geht darum, die Form als innere Vorstellung beim Zeichnen zu gestalten. Dabei kann man sich von entsprechender Literatur anregen lassen.[10]
Übung: Freies geometrisches Zeichnen

In der Geometrie wird das freie Zeichnen von Formen in der **Freihandgeometrie** fortgesetzt. Dreiecke, Vierecke, Kreise, Trapeze usw. werden mit der

---

[10] - Kutzli R. Entfaltung der schöpferischen Kräfte durch lebendiges Formenzeichnen, Verlag die Kommenden GmbH, Freiburg 1982
- Kranich Jünemann u.a. Formenzeichnen, Verlag Freies Geistesleben, Stuttgart 1985
- Clausen Riedel Zeichnen Sehen lernen, Mellinger Verlag Stuttgart 1968
Bake Wendon Grundkurs Zeichnen

freien Hand gezeichnet. Das wirkt noch konzentrie-
render als die äußere geometrischen Konstruktio-
nen mit Winkel und Zirkel.

Übung: Freies und gestalterisches Zeichnen

Versuchen Sie einen einfachen Gegenstand Tisch,
Stuhl, Vase usw. zu zeichnen.

3.4.2 Malen

Zu den plastisch-zeichnerischen Künsten gehört
auch das Malen. Äußerer Farbklang und innere
Farbstimmung sollen erlebt werden.
    Es geht also weniger darum „Formen auszu-
malen", sondern darum die Farben – gemäß ihrer
Charakteristik - gewisse Formen bilden zu lassen.
Entscheidend ist die innere Tätigkeit nicht das Imitieren äußerer Farben. Dazu ist eine Sprache nötig,
die die „Farben selbst aktiv werden" lässt. So könnte davon gesprochen werden, dass das Blau das
Gelb in den Arm nimmt und schützen möchte oder
dass Gelb, Orange, Rot und Grün miteinander tanzen usw. Aus einer solchen Farbstimmung entsteht
dann möglicherweise eine leuchtende Herbstland-
schaft.

Übung: Rot Gelb und Grün tanzen in leuchtendem Gelb (Anregung zum Thema „leuchtender Herbst")

Übung: Blau-weiß Stimmung als Landschaft
Selbst mit einer Farbe lässt sich viel gestalten, wenn sich beispielsweise das Blau aufrichtet (zu Bäumen), es sich zu Bergen formt und so eine Winterlandschaft entsteht.

Übung: Blau grün Stimmung als Sumpf- oder Seenlandschaft.

Übung: Gelb Rot und Braun Stimmung von Palmen in einer Wüstenlandschaft

Übung: Lila-gelb- Stimmung als Amethyst in Schichttechnik

Beim „Malen" ist es sinnvoll zunächst mit reinen Farbklängen zu arbeiten. Danach kann dazu übergegangen werden, Farbklänge in Zusammenhang mit „motivlichen" Inhalte zu gestalten.

Übung: Farbklang Gelb in Blau
Übung: Farbklang Grün in Blau

Übung: Farbklang Blau über Gelb
Übung: Farbklang Rot in Blau
Übung: Farbklang Blau in Rot

Die Kunst dabei ist es, die Farben aus einer inneren Farbstimmung heraus lebendig werden zu lassen. Es gilt sich in die Welt der Farben künstlerisch einzuleben. Dazu geben beispielsweise folgende Bücher gute Anleitungen.[11]

3.4.3 Plastizieren

Eine weitere Form künstlerischen Arbeitens in der Bewegung ist das Plastizieren, Modellieren und die Bildhauerei. Als Material dient meist Ton, Wachs, Holz oder Stein. Auch hierbei ist es wichtig, die

---

[11] - Koch Wagner: Die Individualität der Farbe, Verlag Freies Geistesleben, Stuttgart 1980
- Boos Hamburger: Die schöpferische Kraft der Farbe, Zbinden Verlag Basel 1979
-Schröder Farbgeschichten, Verlag Freies Geistesleben, Stuttgart 1984
- Clausen/Riedel: Schöpferisches Gestalten mit Farben, Mellinger Verlag Stuttgart 1972
- Jünemann/Weitmann: Der künstlerische Unterricht in der Waldorfschule Malen und Zeichnen, Verlag Freies Geistesleben 1976

Formen innerlich kreativ zu gestalten und sie nicht nur äußerlich zu imitieren.

Dabei gilt es eine Sprache zu wählen, die den Spannungscharakter der Form zum Ausdruck bringt und weniger den inhaltlichen Gegenstand thematisiert. Es wird also in erster Linie von konkaven Wölbungen und konvexen Vertiefungen, Sog und Druckkräften usw. gesprochen.

Jeder Erzieher wie eine unruhige Kindergruppe allein durch die Tätigkeit des Plastizierens von Wachs oder Tonformen zur Ruhe und Konzentration finden kann.

Übung: Knetwachsarbeiten
Im Kindergarten und der Schule ist es am praktischsten mit Bienenwachs oder Knetwachs zu arbeiten. Dabei genügt es oft den Kindern das Material einfach in die Hand zu geben und den Formungsprozess frei laufen zu lassen.

Bei älteren Schülern sind genauere inhaltliche Vorgaben angebracht. Auch das Material kann härter werden, z.B. Holzarbeiten

Übung: Einfache Tierformen
Übung: Köpfe formen
Übung: Einfache Menschengestalten

Übung: Plastiken aus Holz (Schale, Häuschen)

Auch das Gestalten plastischer Grundformen ist angebracht.
Übung: Eine Kugel aus Ton formen
Übung: Ein Ei formen
Übung: Eine freie Form mit Wölbungen, Vertiefungen, Spannungsebenen usw.
Übung: Abstrakte Steinmetzarbeiten

KAPITEL IV

SPRACHE UND KOMMUNIKA-TION

Rezitation Rollenspiel Musik

4. SPRACHE UND KOMMUNIKATION

(Der innere Aspekt der Aufmerksamkeit)

Bewusstsein wird **durch Sprache** gebildet. Indem ich das **Wort „Baum"** spreche und vorstelle, **lebt der Baum** nicht mehr nur in der äußeren Natur, sondern auch **im Inneren meiner Seele.** Sprache bildet sich zunächst in der Kommunikation mit der Umwelt und den Mitmenschen. Kaiser Friedrich II. wollte die Ursprache feststellen, indem er den Kontaktpersonen verbot mir den heranwachsenden kleinen Kindern zu sprechen. Sie starben alle, weil sie sich die Welt innerlich nicht erschließen konnten.

Sprache und Kommunikation sind ein Urbild der Aufmerksamkeitsentwicklung. Umgekehrt sind Sprach- und Kommunikationsübungen auch geeignet die Aufmerksamkeit zu entwickeln.

Alle Übungen zur Sprache, Rollenspiel und zur Musik werden natürlich in erster Linie in der Schulung dieser Künste eingesetzt, sind aber gleichzeitig grundlegende Übungen der Aufmerksamkeitsschulung.

4.1 SPRACHE

Das **Sprechen** an sich ist ein urbildhafter Aufmerk-samkeitsprozess. In der frühkindlichen Entwicklung wird der Mensch durch die **Sprache aufmerksam auf die Umwelt**. Durch die **Kommunikation** wird die Sprache auf natürlicher Weise erworben. Die Menschen, die sich dem kleinen Kind liebevoll zuwenden und ansprechen, insbesondere die Eltern und Geschwister, **wecken** damit **das Bewusstsein** des Kindes **auf**.

    Sprechen und Hören wird in der Sprach- und Sprechkunst (**Geschichten, Literatur, Rezitation**) gepflegt. Auch die nonverbale Sprache (**Gestik, Mimik, Pantomimik**) gehört in das Gebiet der Kommunikation und Aufmerksamkeit. Im **Rollenspiel und Schauspiel** wird dieser Bereich künstlerisch vertieft.

    Die Musik ist musikalische Sprache mit Klängen, Tönen und Rhythmen. Sie erfordert besonders eine „gefühlsmäßige" Aufmerksamkeit, die entsprechend geschult werden kann.

4.1.1 Sprachkunst (Literatur und Dichtung)

In den alten spirituell-religiösen Kulturen wurde die **Sprache** als das **Schöpfungsprinzip** schlechthin angesehen. In der Bibel ist gleich zu Beginn des Alten Testamentes davon die Rede, dass die gesamte **Schöpfung durch das Wort Gottes entstanden** ist. Auch im Neuen Testament wird im ersten Kapitel des Johannesevangeliums das Wort als die Quelle alles Seins angesprochen.

Indem der Mensch die Sprache ergreift, wird er selbst zum Schöpfer seiner Bewusstseinsentwicklung. Die Pflege der Sprache ist Grundpfeiler der Aufmerksamkeitskultur.

Über die Sprachkunst (Gedichte) kann sich jeder intensiver mit der Natur, dem Kosmos oder den Mitmenschen verbinden.

An einem Bach kann achtlos vorbei gegangen werden. Es ist aber auch möglich mit Hilfe der künstlerischen Sprache sich empfindungsmäßig mit dem Gewässer zu verbinden. Das lässt sich beispielsweise an folgendem kleinen Gedichtchen erleben.

Übung: Bächlein

Bächlein wie hurtig eilst du zu Tal
Kannst du nicht rasten und ruhn einmal?

Ich kann nicht rasten, ich kann nicht bleiben,
hinunter muss ich das Mühlrad treiben.

Viel Tierlein muss ich zum Trinken laden,
und andre kommen, in mir zu baden.

Die Wiesen tränk' ich, die grünen Auen
Und Blumen, die sich in mir beschauen.

Dann zu dem Fluss lenk ich den Lauf,
der nimmt so viele der Bächlein auf.

Er geht durchs Land mit stolzem Schritt;
Und alle nimmt er zum Meere mit.

Vom Bergwald komm ich, vom Felsen her-
Wie weit, wie weit ist der Weg zum Meer.

Johannes Trojan

Übung: Wie alles sich zum Ganzen webt

Wie alles sich zum Ganzen webt,
eins in dem andern wirkt und lebt!
Wie Himmelskräfte auf und nieder steigen
Und sich die goldenen Eimer reichen!
Mit segenduftenden Schwingen
Vom Himmel durch die Erde dringen
Harmonisch all das All durchklingen

Joh. Wolfgang Goethe

Übung: Eins und Alles

Meine Liebe ist groß wie die weite Welt,
und nichts ist außer ihr,
wie die Sonne alles erwärmt, erhellt
so tut sie der Welt von mir!

Da ist kein Gras, da ist kein Stein
Darin meine Liebe nicht wär
Da ist kein Lüftlein noch Wässerlein,
darin sie nicht zög einher!

Da ist kein Tier vom Mücklein an
Bis zu uns Menschen empor,
darin mein Herz nicht wohnen kann,
darin ich es nicht verlor!
Meine Liebe ist weit wie die Seele mein,
alle Dinge ruhn in ihr,
Sie alle, alle bin ich allein,
und nichts ist außer mir!

Christian Morgenstern

Die Pflege künstlerischer Literatur ist heute sowohl in der Pädagogik als auch im Alltagsleben weitgehend verloren gegangen. Wer die Welt nicht nur intellektuell-vorstellungsmäßig, sondern existentiell-empfindungsmäßig erfassen will, braucht einen künstlerischen Zugang zur Sprache. In der Waldorfpädagogik wurde das Sprechen von Gedichten im rhythmischen Teil des Unterrichtes neu aufgegriffen. Zur Anregung in der Arbeit mit Kindern und Jugendlichen seien hier einige Bücher genannt.[12]

4.1.2 Sprechkunst (Rezitation)

Kleine Kinder haben beim Sprechen lernen Freude an den Sprachlauten, Rhythmen und der Sprachintonation. Es steht oft gar nicht der Sprachinhalt, sondern das Sprechen selbst im Vordergrund. Deshalb ist es auch wichtig mit den Kindern diese Form des Plappern und Plauderns zu tätigen. Zungenbrecher und Lautspiele machen in erster Linie durch die Sprachelemente selbst Spaß. In der Sprechkunst (Rezitation)kann auch der Erwachsene das künst-

---

[12] - Marianne Garff, Es plaudert der Bach, Verlag Pforte Basel, 5.Auflage 1976
- Bühler/Lobeck, Scheine Sonne scheine, Troxler Verlag Bern, 1970
- Ritter Eins und Alles, Verlag Freies Geistesleben 1976 (5.Auflage)
- Diestel Hedwig, Kindertag, Verlag Freise Geistesleben 1967, Preißler, Kinderreime und Kinderlieder aus „Des Knaben Wunderhorn", Verlag Werner Dausien Hanau

lerische Sprechen schulen. Der Empfindungsgehalt der Worte und Sätze ist dabei das Entscheidende. Dazu seine einige Beispiele genannt.

Der Begriff **„Wolke"** hat im Englischen und Französischen einen ganz anderen Wesensausdruck als im Deutschen. Im Englischen wird von **„cloud"** gesprochen, im Französischen von „nuage". Versucht man sich zu dem Lautausdruck **„nuage"** eine Wolke vorzustellen, dann ist das eher ein **zartes, rosa gefärbtes Schleierwölkchen.** Der englische Lautausdruck ruft dagegen eher ein **kompaktes abgeschlossenes Wolkengebilde** hervor. Beim deutschen Lautgebilde **Wolke** ballt sich eher eine **Haufenwolke** zusammen, die sich anstaut und schließlich wieder umbildet.

Als weiteres Beispiel sei das Wort **„Kopf"** genannt, das in den drei Sprachen sehr verschiedene Empfindungsassoziationen hervorruft.

Im deutschen Lautgebilde „Kopf" drückt sich etwas hartes Rundes aus. Hier steht die Formgestalt im Vordergrund. Deswegen kann der Begriff „Kopf" auch für einen „Salatkopf" gebraucht werden. Das französische Lautgebilde „tete" bezieht sich mehr auf das, was der „Kopf macht", nämlich das „testieren". Mit dem französischen „Kopf" wird „bezeugt", dass etwas so oder so ist. Bei dem englischen Lautgebilde „head" hat man eher ein „Organisationszentrum" im Bewusstsein. Der englische „Kopf" ist dasjenige, was dem übrigen Leib vorgibt, was zu tun ist. Deswegen kann ein Begriff wie „headquarter", also eine Hauptgeschäftsstelle, gebildet werden.

Bei der rein äußerlichen Sprachbetrachtung gehen diese Empfindungs- und Wirkqualitäten verloren. Der Focus wird nur auf den informativen Aspekt gerichtet.

Nicht nur die Lautgestalt, sondern auch Rhythmus, Melos, Intonation usw. gehören zum künstlerischen Sprachausdruck. Beim Sprechen (Rezitieren) und Lesen kann dieser künstlerische Aspekt der Sprache ausgedrückt werden.

In früheren Zeiten haben die älteren Menschen den kleineren Kindern eine Fülle von Sprüchen und Kinderreimen gelehrt und dazu entsprechende passende Bewegungen gemacht. Auch heute kann die **Sprachkunst in eine konzentrierte Besinnung** führen. **Dichtung will genussvoll gesprochen und gehört** werden. Noch zu Goethes Zeiten haben die Menschen Lyrik in diesem Sinne gepflegt.

In diesem Sinn wollte R. Steiner die Sprache neu beleben. Er hat dazu eine Reihe von Vorschlägen zur Schulung der neuen Kunst der Sprachgestaltung gemacht.

Unterschiedliche Elemente wurden in den verschiedenen historischen Sprachen gepflegt. Die griechische Dichtung lebt vom Rhythmus. Die Ilias und Odyssee ist im Hexameter-Rhythmus (lang kurz kurz) geschrieben. In der germanischen Dichtung ist (Edda) steht mehr die willenshafte Komponente einzelner Sprachlaute in Form des Stabreimes im Vordergrund. Rezitationsübungen schulen die Aufmerksamkeit in exzellenter Form. Einige solcher Übungen seien hier erwähnt. [13]

Übung: Stabreim

In einem Stabreim gibt es Worte die mit gleichem Konsonanten oder ähnlichem Vokal beginnen. Die Worte „staben" miteinander. Gedichte in Stabreimform finden sich in verschiedenen Büchern zur Sprachgestaltung. Auch die Werbung bedient sich solcher Formen, z.B. in dem Satz:

Milch **m**acht **m**üde **M**änner **m**unter.

Übung: Worte eines Satzes laufen

Ein Satz oder eine Zeile eines Gedichtes werden gesprochen und bei jedem Wort ein Schritt gemacht. Beispiel:

Ich will achtgeben auf mich im Denken und Wollen.

---

[13] Christa Slezak-Schindler: Künstlerisches Sprechen in der Grundschule

Es wird also bei jedem gesprochen Wort ein Schritt gemacht. (9Schritte)

Übung: Silben eines Satzes klatschen
Ich will achtgeben auf mich im Denken und Wollen.
Man klatscht bei jeder Silbe, während man den Satz spricht. (13 Klatschschläge)

Übung: Gleichzeitig Worte laufen und Silben Klatschen:
Ich will achtgeben auf mich im Denken und Wollen.
Nun werden die Worte gelaufen und gleichzeitig die Silben geklatscht. Bei dem Wort „achtgeben", erfolgt also ein Schritt und dreimal wird geklatscht.

Übung: Laute bewegen:

Es wird gesprochen und bei jedem Vokal einer Silbe diesen Vokal durch ein Fingerzeichen dargestellt.

Übung: Vokale sprechen:

Bei einem Satz sollen nur die Vokale gesprochen werden.
Beispiel: *Ich will achtgeben auf mich im Denken und Wollen.*
I I A E E AU I I E E U E E.

Übung: B-Sprache
Sprachspiele fördern die Konzentration. Als Beispiel
sei die „B-Sprache" genannt, die manchmal Kinder
als Geheimsprache verwenden. Dabei wird bei jedem Vokal eines Wortes eingehalten, ein B eingesetzt und dann (den Vokal wiederholend) weitergesprochen.
Der Satz „Ich war gestern mit meiner Schwester im
Schwimmbad" heißt dann in der „B-Sprache: Ibich
wabar gebestebern mibit meibeineber Schwebeste-
ber ibim Schwibimmbabad.

Übung: Eurythmische Darstellung von Lauten
In der Eurythmie können die Laute in einer „Ganz-
körperbewegung" auch noch in ihrem Empfindungsgehalt ausgedrückt werden.[14]

Übung: Zungenbrecher
Viele Zungenbrecher sind gleichzeitig Konzentrationsübungen.

Beispiele:
    a) Fischers Fritze fischt frische Fischer

---

[14] R.Steiner : Eurythmie als sichtbare Sprache , R.Steiner
Verlag, 5.Auflage 1990

b) Zwischen zwei Zweigen zwitschern zwei Spatzen
c) Hinter Herrmanns Hasenhaus hängen hundert Hemden raus.

Übung: Worte oder Sätze rückwärts sprechen

Regal – Lager
Leben – Nebel
Es sollen weitere Worte oder gar Sätze gefunden werden, die sich rückwärts sprechen lassen.

Übung: Rhythmisches Laufen nach geklatschten Rhythmen
Rhythmen werden vorgeklatscht. Dann werden sie entsprechend gelaufen.

^ ^ ^ - (kurz- kurz- kurz- lang)
^ ^ - - ^ ^   usw.

Übung: Rhythmisches Laufen und Sprechen

- - -	Schritt Schritt Schritt
^ ^ ^ ^	trab trab trab trab.
-^ -^ -^	hoppe hoppe hoppe
^- ^- ^-	galopp galopp galopp, usw.

Übung: Gedichte nach Takt und Rhythmus laufen:

Viele Gedichte sind rhythmisch aufgebaut und können entsprechend rhythmisch gelaufen und gesprochen werden.

Beispiel: - ^ ^   - ^ ^   (lang –kurz kurz)

Zündet das Feuer an
Feuer ist obenan,
Höchstes er hat's getan
der es geraubt
Wer s entzündete
Schmiedete, ründete
Kronen dem Haupt
usw.
    (nach Johann Wolfgang von Goethe aus Pandora)

Übung: 2-er Rhythmus (Wir laufen in die …)

Ein „kurz-lang-Rhythmus" wird mit folgenden Worten bewegt:
Wir laufen in die Welt hinein
Sind froh so wie der Sonnenschein

Übung: 2-er Rhythmus „Pferdchen"
In meinem Stall viel Pferdchen stehn

Sie können rasch im Trabe gehen
sie laufen schnell im Kreis herum
dann stehen sie wieder still und stumm

4.2 NONVERBALE SPRACHE
(Mimik, Gestik, Pantomimik, Schauspiel)

Die **nonverbale Sprache** ist elementarer als die verbale Sprache. Wenn jemand zu einem sagt "Sie sind großartig" und einen dabei verächtlich anschaut, wird der Betreffende sich eher an der nonverbalen Ausrichtung ausrichten.

Die Tierwelt ist ganz auf die **Körpersprache** angewiesen. Beim Hund bedeutet beispielsweise das Wedeln mit dem Schwanz eine Art freundliche Begrüßung, wenn der Schwanz aufgerichtet ist, ist er wahrscheinlich angriffslustig, wenn der Schwanz zwischen den Beinen eingeklemmt ist, zeigt er eine eher unterwürfige Haltung.

Aber auch beim Menschen ist die Körpersprache von grundlegender Bedeutung. In der menschliche **Mimik und Gestik** gibt es eine Ausdrucksfülle, die die Gefühle, Emotionen und Absichten viel unmittelbarer zum Ausdruck bringen.

Im **Rollenspiel** wird die nonverbale und verbale Sprache zusammengebracht. Eine wesentliche Beschäftigung **kleiner Kinder** sind Rollenspiele. Sie spielen Vater, Mutter, Kind und lernen auf diese Weise die Handlungen ihrer Umwelt zu verstehen und bestimmte Handlungsabläufe zu beherrschen. Auch im Erwachsenenalter wird im **Coaching** diese Form des Lernens genutzt. Der grundlegende Aufmerksamkeitsprozess (Lernprozess) von Tun und Sprechen wird damit realisiert. In künstlerischer Weise geschieht dies in der **Schauspielkunst**. Wenn ein Schauspieler einen zornigen aufgebrachten Menschen spielt, wird neben seinen Worten beispielsweise die Haare raufen, kräftig aufstampfen, mit der Faust auf den Tisch schlagen usw. und gleichzeitig versuchen die entsprechenden Empfindungen in sich wach zu rufen.

Verbale und nonverbale Kommunikation gehen Hand in Hand. Für viele Menschen ist die nonverbale Kommunikation zunächst leichter zugänglich. Sie lässt sich auch in Übungen schulen.

Nonverbale Kommunikationsübungen

Übung: Stabringen

Zwei Personen bekommen zwei Stäbe so in die Hand, dass das Ende der Stäbe jeweils in den Handinnenflächen der Partner ruht. Nun versuchen beide durch sanften Druck und Gegendruck in eine lebendige Bewegung zukommen. Jeder muss auf die Impulse des jeweils anderen eingehen.

Übung: Fingerspitzenweben
Wie oben, nur werden jetzt die Fingerspitzen eingesetzt, um mit Druck und Gegendruck zu einer „Kommunikation" zu gelangen.

Übung: Farbgespräch:
Zwei Partner malen gemeinsam ein Bild, wobei nichts gesprochen werden soll.

Übung: Tongespräch:
Mit Hilfe einfacher Instrumente (rhythmische Instrumente, Xylophon usw.) versuchen sich zwei Partner musikalisch zu
unterhalten ohne miteinander zu sprechen.

Pantomimische Übungen

Bei pantomimischen Übungen wird der Übende gleichsam „eins" mit den Gegenständen und Prozessen der Umwelt. Aufmerksamkeit heißt ja ganz bei oder in der Sache zu sein, der man sich zuwendet.

Übung: „Sehen" mimen:
Folgende Motive können beispielsweise pantomimisch dargestellt werden:
schwirrende Mücke, schwebender Adler, Düsenjäger, Tennismatch beobachten, Aussicht von einem hohen Turm, Wandern im Nebel usw.

Übung: „Hören" mimen:
Ein knabberndes Mäuschen hören, in der Ferne grollt der Donner, ein Krankenwagen mit Martinshorn kommt immer näher, an der Türe lauschen usw.

Übung: „Schmecken" mimen:
Wir essen saure Zitronen, süße Zuckerwatte, Würstchen mit Senf, scharfes Paprikagemüse.

Übung: „Riechen" mimen
Blumenwiese, Bauer fährt Gülle aus, Zwiebel schneiden.

Übung: „Tasten" mimen
Barfuß durch kaltes Wasser, Sand, Gras und Geröll gehen, verschiedene Bälle und Gegenstände einander zuwerfen.

Übung: Alltagstätigkeiten mimen
Aufstehen, Anziehen, Waschen, in der Straßenbahn
sitzen, Brief erhalten, Zähne putzen, Essen, Aufspü-
len, Abtrocknen, Hausaufgaben machen, Flöten,
Zimmer aufräumen, Morgens vor dem Spiegel, Brot
backen, im Garten arbeiten, großer Lottogewinn,
der lang erwartete Liebesbrief, Todesnachricht des
besten Freundes, eine Sahnetorte essen, Buch lesen, Spaziergang im Park, auf der Einkaufsstraße,
vor einem Rendezvous, vor der Prüfung usw.

Übung: Tiere mimen
Hase, Fuchs, Reh, Hund Elefant, Nashorn, Kamel,

Übung: Arbeitsgesten
Holz hacken, Feuer machen, Unkraut jäten, Schmie-
den, Sägen, Töpfern, Schneidern, Handwerker darstellen usw.

Übung: Begriffe mimen
Abstrakte Begriffe mimisch darstellen, z.B. Gipfel-
stürmer, usw.

Übung: Stimmungen mimen

heiter, düster, gedrückt, ausgelassen, spannungsge-
laden, kühl, warm, vergessener Friedhof, ruhevoller
Sommermorgen, geheimnisumwitterter alter Wald,

mondhelle Nacht, verlassenes Schloss, fürchterli-
cher Gestank usw.

Übung: Empfindungen/Gefühl mimen

müde. skeptisch, hoffend, lauernd, unsicher, selbst-
scher, gelangweilt, gleichgültig, traurig, gierig, ärgerlich, wütend, tadelnd, eifrig, neugierig, freudig,
ängstlich, albern, mitleidig, verträumt, grüblerisch,
ekstatisch, verzweifelt, hassend, panisch, vorsichtig,
schwächlich, besorgt, ärgerlich, liebend, stark und
unbeugsam, aggressiv und fanatisch, introvertiert,
Negation und Protest usw.

Übung: Typen und Rollen mimen
Held, ewiger Verlierer, Durchtriebene, Lügner, Ver-
brecher, dicker Direktor, hektischer Professor, feine
Dame, pöbelnder Halbstarker, alte Frau, arbeiten-
der Bauer, steifer Beamter, kräftiger Möbelpacker,
schleichender Dieb,

Übung: Rollenspiele
Definierte Zweierszenen (Verkäufer -Käufer, Gast-
geber - Gast, Schneider - Kunde, Verliebtes Paar,)
Definierte Gruppenszenen (Vorbereitung im Opera-
tionssaal, Familientreffen am Sonntag, Fischerfrau-
en am Strand, Arbeiter in der Fabrik)

Offene Szenen (gemeinsamer Ausflug, Gewitter im Gebirge,

Übung „Pacen":

Der Übende macht den Gang, die Haltung oder die Mimik seines Partners genau nach. Er läuft eine Zeitlang „in den Schuhen" des anderen.

Schauspiel:

Im Schauspiel werden das äußere Handeln und innere Empfindungen als Einheit zum Ausdruckgebracht. Der Schauspieler hat die Aufgabe sich ganz in die Rolle eines anderen Menschen hineinzuversetzen. Er spielt das Leben einer anderen Person und muss doch dauernd mit seinem eigenen Ich präsent sein.

Ein Lehrer, der in seiner Klasse ein kleines Theaterstück probt, wird für das Aufmerksamkeitslevel in seiner Klasse mehr tun als durch alle möglichen anderen „künstlichen" Aufmerksamkeitsübungen.

Übung: Rolle in einem kleinen Theaterstück übernehmen.

Auch für das Schauspiel gibt es elementare Schulungsübungen, die nicht nur dem Schauspieler nutzen sondern auch für jeden geeignet sind, der seine Aufmerksamkeit auf seelischem Gebiet entwickeln will.

Elementare schauspielerische Ausdrucksübungen

Ich beschreibe hier einige elementare Grundübungen, wie sie im Laufe meiner Arbeit in der Schule und in der Einzelbetreuung entstanden sind. Sowohl in der Theaterarbeit als auch der psychotherapeutischen Arbeit sind diese Übungen verwendbar. Viele Anregungen habe ich dabei aus dem Werk von R. Steiner zur Sprachgestaltung und dramatischen Kunst erhalten. [15]

Übung: Weiten und Engen
Der Übende versucht den Raum zu erfüllen und dann wieder sich zurückzuziehen. Dazu macht er entsprechende Gesten und kann folgende Ausdrücke verwenden:

---

[15] R.Steiner: Sprachgestaltung und Dramatische Kunst, Vortragszyklus gehalten in Dornach 1924

Weiten	Engen
(Die Welt spüren)	(Sich spüren)

„Ich erfülle die Welt."	„Ich verschwinde."
„Die Welt bin ich.."	„Entschuldige, dass ich da bin..."

Der Übende breitet die Arme aus und macht sich groß; dann zieht er die Arme an den Körper, geht in die Hocke und macht sich klein.

Übung: Führen und sich führen lassen

„Ich werde das in die Hand nehmen"	„Ich lasse das auf mich zukommen."

Der Übende ballt die Hände zur Faust macht selbstbewusst einen Schritt nach vorne; dann öffnet der vorsichtig die Hände und macht tastend einen Schritt zurück.

Übung: Zuwenden und Abwenden

Zuwenden	Abwenden
„Ich liebe dich."	„Du bist Luft für mich."
„Das ist so interessant."	„Das ist langweilig."

Der Übende wendet sich offen dem Mitmenschen oder dem Gegenstand zu; dann wendet er sich ab und zeigt dem Partner den Rücken.

Übung: Aufrichten und sich fallen lassen

Aufrichten	Loslassen
„Ich richte mich auf.“	„Ich lass mich los.“
„Ich werde stark.“	„Ich werde schwach.“

Der Übende richtet sich von den Füßen über die Mitte bis zum Kopf gerade auf; dann lässt sich zusammenfallen und landet auf dem Boden.

Übung: Wirksam werden:

„Tu dies, tu das, sonst setzt's etwas!“
„ Dies das dort....!“
„Mach das....!“
„Zack zack!“
„Du tust das!“
„Das ist ein Befehl!“

Der Übende weist mit Finger eindeutig in eine Richtung. Dabei geht er mit Schritt auf den Mitmenschen zu. Er spricht mit schneidender Sprache einen eindeutiger Befehl, gegen den nichts zu machen ist.
Übung: An sich halten

„Oh weh, mein Gott, oh muss das sein, der Schmerz fährt mir durch Mark und Bein!“

„Das erschüttert mich zu tiefst!"
„Ja ja!"
„Mhmmh!"

Die Hände und Arme werden an den Körpergeführt; Hände an den Kopf oder die Seite pressen; die Sprache soll voll klingen.

Übung: Unsicherheit/Verzweiflung:

„Wer wie wo was ist was geschehn
Wie soll das alles weitergehn?"
„Du sagst mir dies Ziel soll ich erreichen.
Kann ich denn das?"
„Wo soll ich hin. was soll ich tun?"
„ O weh O weh, wer hilfet mir?"

Gesten der Unsicherheit sind tastende unsichere Handbewegung und Schritte, Arme und Hände sind in suchender, rollender Bewegung. Zittern und Tasten gegen Widerstände

Übung: Antipathie

„Pfui Teufel pfui du altes Schwein, wie kann man nur so dreckig sein!"
„Ich habe zu tun. Du bist mir überflüssig. Geh geh!"

„Pfui Teufel!"
„Igetegitt!"
„Weg von mir!"
„Nein nein!"

Der Übende versucht etwas Imaginäres von sich zu schleudern; auch Hände und Fuß werden wie weggeschleudert; Geste des Ausspuckens; dabei eine harte Sprache verwenden.

Übung: Sympathie

„Ei liebes Ding ich hab dich gern, du bist mein lieber Augenstern!"
„Sie bringen mir das Kind, das ich immer gerne sehe. Komm!"
„Eia, eia!"
„Ja ‚ja!"

Berühren, Streicheln, runde Bewegungen, Glieder holen zur Berührung des Objektes aus, sanfte Sprache, Schritt nach vorne.

Übung: Absetzen

„Du sagst dies und ich sag das!"
„Du machst dies und ich mach das!"

„Du machst mir den Vorschlag, jetzt das Geschäft zu besorgen. Ich möchte jetzt spazieren gehen!"
„Du kannst mir gar nichts sagen!"
„Ich pfeif dir eins!"

Erst nach vorne wenden, Stampfen, Ellbogen beto-nen, dann wieder ein Schritt zurück, kurz abgesetzt sprechen, abstoßen, sich aus der Umgebung heraus-ziehen, Glieder hart am Körper ansetzen.

Elementare Stimmungsübungen (Temperamente)

Auch Temperamentsübungen schulen die Aufmerk-samkeit im existentiellen Empfindungs- und Wil-lensbereich.

Übung: Üben von Melancholie

Der Übende stellt Melancholie, Niedergeschlagen-heit, Verzweiflung usw. körperlich dar. Mimik und Gestik sollen diese Stimmung zum Ausdruck brin-gen. Er stöhnt und sagt Wendungen wie „Alles ist furchtbar! Entsetzlich! Ich bin der ärmste Mensch auf Erden usw."

Übung: Üben von Phlegmatik

Der Übende schlurft durch das Zimmer, lässt sich in der Bewegungsgeste gehen. Er macht träge Bewegungen und lässt alle Körperspannung vermissen. Die Schultern sacken in sich zusammen. Er schaut lethargisch und schläfrig. Dabei fühlt er sich in seiner fülligen Leiblichkeit durchaus wohl. Der Appetit ist enorm. Das kann er mit Äußerungen begleitet werden: „Lasst mir meine Ruhe!" „Hauptsache, ich hab's warm und gemütlich!" „Hast Du vielleicht etwas zum Essen für mich usw."

Übung: Üben von Sanguinik

Das Gegenteil soll beim Erleben der Sanguinik vollzogen werden. Der Übende ist dauernd in Bewegung, hüpft und rennt herum, fasst alles an und bringt die Umgebung durcheinander. Er pfeift, kichert und plappert nahezu ununterbrochen. Dazu kann er Äußerungen machen wie „Hei wie ist das Leben schön!" „Hei di Hei da!" „trallala"

Übung: Üben von Cholerik

Der Choleriker ist in seiner Bewegung kräftig, impulsiv, heftig und bestimmt. Die Handlungsabläufe sind ruckartig, abgehackt und wenig fließend. Es stampft und trampelt eher als dass er geht. Die Mimik ist bestimmt. Das Kinn etwas nach vorne geschoben. Er hat eine laute bestimmte Stimme und tendiert dazu, zu schreien und zu befehlen. Typische Äußerungen sind: „Ihr Vollidioten!" " Verdammt noch mal!" „Muss man denn alles alleine machen!" „Ihr habt keine Ahnung!" „Ihr seid alle Versager!" So wird das gemacht, kapiert!" usw.

Übung: Alltagstätigkeiten in vier verschiedenen Temperamentsstimmungen

Verschiedene Tätigkeiten wie Aufstehen Hinsetzen, Mantel anziehen, jemanden begrüßen usw. werden nun in den vier Temperamentsstimmungen geübt.

4.3 MUSIK

In der Musik wird in Harmonien und Melodien Aufmerksamkeit auf der Ebene der Empfindung gelebt. Takt und Rhythmus sprechen eher das Willensleben an. Einem Musiker, der hingebungsvoll spielt und ganz bei der Sache ist, kann diese Form der Aufmerksamkeit direkt angesehen werden. Musik harmonisiert auch das Seelenleben, besonders, wenn der Mensch unausgeglichen und nervös ist. Es kommt nicht darauf an, technisch perfekt zu musizieren, sondern sich mit der Musik innerlich zu verbinden.

Die Urform der Musik ist das Singen. Auch das Musizieren mit Instrumenten wird in den verschiedensten Kulturen gepflegt. Dabei sind am Anfang mehr Instrumente geeignet, bei denen wenig Vorkenntnisse nötig sind, also rhythmische Instrumente wie Trommeln, Schlaghölzer Triangeln, Xylophon usw.

4.3.1 Musikalische Übungen

Wichtig ist innerlich mit dem Musikstück mitzuschwingen und mitzuempfinden. Übungsmöglichkeiten gibt es viele.

Übung: Singen (Chorsingen, einfache Kinderlieder, einfache Volkslieder, Schlager, Kanon singen, Karaoke mitsingen)

Übung: Musizieren (einfache Flöten, Xylophone und Klangstäbe , Kantele, Leier)

Übung: Melos darstellen
Der Übende stellt den Melodieverlauf eines Liedes dar, indem er, wenn die Melodie nach oben geht

mit den Händen eine Aufwärtsbewegung macht und wenn sie sinkt eine Abwärtsbewegung vornimmt.

Übung: Erlernen eines Musikinstrumentes
Das Erlernen eines Musikinstrumentes ist ein Weg der Konzentrationsschulung. Nicht das Können ist das Entscheidende, sondern das Üben. Die Korrektur erfolgt dabei durch das Instrument selbst. Der Übende hört es, wenn der Ton falsch klingt und kann ihn selbst korrigieren.

4.3.2 Rhythmisch –numerische Übungen

Rhythmische Übungen (Takt, Fluss, Rhythmus) eignen sich gut zur Aufmerksamkeitsschulung.

Übung: Zähllaufen
Das Kind zählt bis 10 und macht bei jeder gesprochenen Zahl vorwärts ein Schritt. Dann zählt und läuft es rückwärts.

Übung: Schreiten der Einmaleins Reihenfolge.
Wie oben, aber nun werden die Zahlen einer Einmaleins Reihe gesprochen.
Übung: Zählspringen

Es wird auf dem Trampolin gesprungen. Bei jedem Sprung soll eine Zahl gesagt werden. Erst vorwärts, dann rückwärts. Ähnlich kann mit dem Seilspringen verfahren werden.

Übung: Zahlenreihen Laufen und Ball prellen

Beim Laufen wird wieder eine Zahlenreihe gesprochen. In jeder Hand hält der Übende einen Ball. Die rechte Hand ist für die 3 -er Reihe verantwortlich, die linke Hand für die 4-er Reihe. Bei jeder Dreierzahl wird der Schritt angehalten und der Ball mit der rechten Hand auf den Boden geprellt, bei jeder Viererzahl ist die linke Hand dran, bei gemeinsamen Zahlen wird mit beiden Händen gearbeitet.

1	2	3	4	5 usw.
Schritt	Schritt	rechte Hand	linke Hand	Schritt

Übung: „Siebenerzahlen"
Es wird die Zahlenreihe gesprochen und bei jeder „normalen" Zahl ein Schritt gemacht. Bei allen 7-er Zahlen (Einmaleinszahl oder Ziffernzahl) wird der Ball geprellt .

1	2........7.......13	14	15	16	17......
Schritt	Schritt Ball Schritt	Ball	Schritt Schritt	Ball usw.	

Übung: Einmaleinsreihen springen

Es wird die Zahlenreihe gesprochen und bei jeder Einmaleinszahl durch einen Reifen oder ein geschwungenes Seil gesprungen.

Übung: Vierertakt vorwärts laufen und klatschen

Es wird ein Vierertakt gelaufen. Bei jedem ersten Taktschlag wird geklatscht, wobei beim Laufen kurz innegehalten wird.

1	2	3	4	1	2	3	4...
Klatsch				Klatsch			

In weiteren Durchgängen wird auf den zweiten, dritten und vierten Taktschlag geklatscht.

Übung: Vierertakt auf und abwärts laufen und klatschen

Es wird wieder ein Vierertakt gelaufen. Beim ersten Takt wird auf die 1 geklatscht, beim zweiten auf die 2, beim dritten auf die 3, beim vierten auf die 4, beim fünften wieder auf die 3, dann auf die 2, dann wieder auf die1.

Übung: Vierertaktübungen mit Variationen

Solche Takt- und Klatschübungen können beliebig erschwert werden, indem z.B. bei einem Taktschlag zwei Klatscher oder Triolen (drei Klatscher) ausführt werden.

Übung: Dreiertaktübungen:
Analog zu obigen Übungen kann ein Dreiertakt mit verschiedenen Klatschübungen gestalten.

Übung: Takt eines Liedes laufen
Ein Lied wird gesungen oder gespielt. Das Kind soll den Takt dazu laufen.

Übung: Takt eines Liedes laufen und auf den ersten Schlag des Taktes klatschen, z.B.

Es **tö**- nen die **Lie**-der, der **Früh**-ling …..

Dabei müsste auf die Silbe „tö", „Lie", „Früh" geklatscht werden. Dann wird in einem zweiten Durchgang auf den zweiten Taktschlag und in einem dritten auf den dritten Taktschlag geklatscht.

Übung: Rhythmus eines Liedes
Der Rhythmus eines Liedes soll geklatscht werden.
Übung: Takt und Rhythmus

Es soll der Takt eines Liedes gelaufen und gleichzeitig dazu der Rhythmus geklatscht werden.

KAPITEL V

DENKEN UND GEIST

MENTALE AUFMERKSAMKEITS-SCHULUNG

Bei jedem Aufmerksamkeitsprozess werden **Wahrnehmungen, Vorstellungen und Gedanken** gebildet. Bei jeder Wahrnehmung werden **innere Vorstellungen in Zusammenhang mit den Sinneseindrücken** erzeugt.

Gedanken und Vorstellungen werden auch unabhängig von der äußeren Wahrnehmung gebildet. Beim Sprechen und Hören einer Geschichte tauchen innere Vorstellungsbilder auf. Beim Erzählen eines Märchens wird beispielsweise eine Hexe oder ein Drache wahrgenommen, obwohl dieser in der sinnlichen Wahrnehmung nie gesehen wurde.

Unsere Vorstellungen beeinflussen unsere konkreten Handlungen. Im **Leistungssport** stellt sich der Fußballer oder Tennisspieler viele Male **den Bewegungsablauf und die Flugbahn eines Balles** vor. Dieser Vorstellungsablauf verbessert signifikant seine reale Bewegungsgeschicklichkeit. Wir sprechen von einer **mentalen (geistigen) Schulung**, die im täglichen Leben laufend verwendet wird. In allen Lebens- und Lernbereichen werden innere Gedankenbilder gebildet.

Von besonderer Bedeutung sind dabei **Vorstellungen**, die sich der Mensch über den Sinn des **Lebens oder Weltentwicklung** macht. In allen Kulturen gab es Schöpfungsmythen, die dem Menschen Orientierung in seinem Leben geben sollten. Dabei standen besonders Vorstellungen über die geistige Welt (göttlich geistige Wesen) im Vordergrund.

Die Bewusstseinsentwicklung basiert auf Wahrnehmungen und Gedanken, die sich der Betreffende macht. Das können materielle aber auch geistige Vorstellungen sein. In der Mathematik werden gedankliche Vorstellungen relativ unabhängig von äußeren Sinneseindrücken geschaffen.

Ich beschreibe in diesem Kapitel einige grundlegende Übungen der mentalen Schulung.

5.1 WAHRNEHMUNGSÜBUNGEN

5.1.1 Sinnesübungen

Übung: Vorstellung eines Bildes.

Stellen Sie sich zu Hause Ihr Wohnzimmer vor. Dort hängt (vielleicht)ein Bild. Versuchen Sie dieses Bild sich ganz exakt vorzustellen. Jede Einzelheit auf dem Bild, Gestalten, Gegenstände, Farbnuancen, Farbe des Bilderrahmens usw.

Übung: Erinnerungsübung „Tagesrückblick"
Es soll am Abend eines Tages rückgeblickt werden, was alles an diesem Tag geschehen ist. Dabei wird das das letzte Ereignis am Abend als erstes genommen und der Tageslauf betrachtet, bis man am Morgen angekommen ist.

Übung: Kleidung eines Menschen
Stellen Sie sich die Kleidung eines Menschen, den Sie vor kurzer Zeit getroffen haben, genau vor: also den Schnitt des Hemdes, Knöpfe, Muster, Farbtöne, Gürtel, Schnallenform, Schuhe usw.

Übung: Geräusche und Töne erinnern
Stellen Sie sich die Stimme eines Menschen, mit dem Sie Kontakt hatten möglichst genau vorzustellen: Tonlage, Tonqualität, Sprechtempo, Dynamik und Intonation usw.

Übung: Gegenstände unter einem Tuch:
Ein Partner legt für seinen Mitspieler einige Gegenstände unter ein Tuch, z.B. ein Messer, einen Radiergummi, einen Ball, usw. Nun wird das Tuch kurz aufgedeckt, sodass alle Gegenstände sichtbar werden. Schnell wird das Tuch wieder darüber gedeckt. Nun soll erinnert werden, welche Gegenstände darunter waren.

Übung: Weitere Dinge vergegenwärtigen:
In ähnlicher Weise kann eine Zimmereinrichtung, ein Haus, eine Landschaft usw. vergegenwärtigt werden.

Übung: Naturprozess wahrnehmen
Stellen Sie sich einen Naturprozess, wie z.B. das Wachsen und Verblühen einer Pflanze in all seinen verschiedenen Stadien vorzustellen.
Es lassen sich auch die Bewegungen eines Menschen oder eines Tieres, der Gang der Sonne oder der Sterne usw. in dieser Weise behandeln.

Übung: Arbeitsprozesse durchdenken
Ein handwerklicher Prozess, wie z.B. die Herstellung eines Tisches vom Fällen des Baumes bis zum fertigen Tisch soll in der Vorstellung vollzogen werden.

5.1.2 Vorstellungsübungen

Übung: Koffer packen
Diese Übung eignet sich gut als Partner oder Gruppenübung. Einer fängt an uns sagt: „Ich nehme meine Koffer und packe eine Hose hinein." Der Zweite sagt: „Ich nehme meine Koffer und packe eine Hose und eine Zahnbürste hinein." Der Dritte: „Ich nehme meinen Koffer und packe eine Hose,

eine Zahnbürste und ein Buch hinein." So geht es weiter wobei immer mehr Gegenstände gemerkt werden müssen.

Übung: Zahlen merken
Ähnlich wie Kofferpacken, aber nun gilt es Zahlenfolgen zu merken.

Übung: Frage weitertragen:
Ein Partner sagt zu seinem Mitspieler: „Ich werde dir jetzt eine Frage stellen. Die Antwort darauf kennst du. Aber ich möchte die Antwort erst in einer Woche haben. Schau ob Du Dir Frage und Antwort merken kannst?

Übung: Rückblicke
Gehen Sie von dem heutigen Tage aus. Unser Ziel soll sein möglichst genau herauszufinden, was Sie vor einer Woche einem Monat, einem Jahr usw. gemacht haben. Hangeln Sie sich entlang der Zeitlinie zurück. Wissen Sie noch irgendein Ereignis von Gestern von Vorgestern, usw.

Wenn längst vergangene Ereignisse erinnert werden sollen, ist es oft hilfreich, sich an Zeitereignisse aus der großen Welt zu erinnern, die damals gerade geschehen sind, z.B. neue Politiker, große Umwälzungen usw.

Übung: Ziele imaginieren
Imaginieren Sie innerlich ein Ziel, das Sie gerne erreicht hätten. Wie sähe dieser Zustand aus, wie wären die äußeren Umstände? Wie würden Sie sich fühlen. Was würde dieser oder jene Mensch dann sagen und tun? usw.

5.1.3 Denkübungen

Gedanken und Rätselspiele sind in allen Kulturen verbreitet. Wer in Gruppen mit Kindern und Jugendlichen tätig ist, kann unmittelbar erleben, wie sich eine konzentrierte Stimmung breit macht, wenn sie sich um die Lösung eines Rätsels bemühen.

Übung: Rätsel vom Menschen[16]
Was läuft morgens auf vier Beinen, mittags auf zwei Beinen und abends auf drei Beinen?
Lösung: der Mensch; zuerst krabbelt er als Kind auf „vier Beinen", als Erwachsener geht er auf zwei Beinen,

---

[16] Es gibt viele gute Rätselbücher. Siehe Inhaltsverzeichnis, z.B. Belte und Treichler !

-

als alter Mensch braucht er öfters einen Stock und geht auf drei Beinen.

Übung: Metamorphosen eines Dreiecks
Stellen Sie sich ein Dreieck vor mit lauter gleichen Seiten. Lassen sie jetzt im Geiste die Spitze des Dreiecks nach oben wandern. immer höher, über das Papier hinaus, bis zur Decke, bis zum Himmel, was für eine Form entsteht:

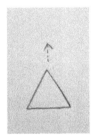 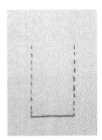

Nun gehen Sie wieder zum gleichseitigen Dreieck und gehen mit der Spitze immer tiefer, bis sie schließlich bei der Grundlinie mit der Spitze gelandet sind. Was haben Sie jetzt für eine Form:

 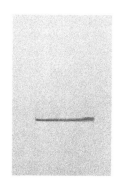

Nun gehen Sie mit der Spitze weiter bis zur Grundlinie und noch weiter nach unten. Dann stellen Sie
sich vor, die Spitze wandert nach rechts und dann
nach links bis ins Unendliche. Welche Formen entstehen?

Übung: Kreisfläche und Linien
In maximal wie viele Teile kann eine Kreisfläche mit
vier geraden Linien geteilt werden? Wie müssen
diese Linien angeordnet sein?

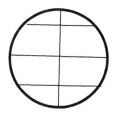 

Bei der ersten Form ergeben sich 8 Teile. Maximal 11 Teile sind bei der Anordnung im zweiten Bild möglich.

Übung: Begriffe raten
Es sollen Begriffe erraten werden. Die Partner sollen Fragen stellen und immer nur mit „ja" oder „nein" antworten.
Beispiel:
Frage: Handelt es sich um ein Lebewesen?
Antwort: Ja
Frage: Handelt es sich um einen Menschen?
Antwort: Nein?
Frage: Handelt es sich um ein Tier?
Antwort: Ja
Frage: Ist es Dein Hund Molly?
Antwort: Ja

Übung: Teekessel raten
Es gibt Worte mit mehreren Bedeutungen. Das Wort "Abzug" kann einen „**Luftschacht**" bezeichnen, durch den in der Küche die Kochdünste abziehen können. Es kann auch das „**Abziehen einer Armee**" oder eine „**Vervielfältigung eines Fotos**" bedeuten. Dann ergeben sich sehr unterschiedliche Sätze.
Satz 1: Der Abzug in der Küche war verstopft.

Satz 1: Der Abzug der Armee erfolgte in geordneter Weise.

Satz 2: Ich muss mir von diesem Foto noch einen Abzug machen lassen.

Viele Spiele sind denkzentrierte Aufmerksamkeitsübungen.

Übung: Denk fix
Übung: Scrabble
Übung: Stadt Land Fluss
Übung :Kreuzworträtsel
Übung: Zeichenrätsel, Trudel, Versteckbilder,

5.2 BEWUSSTSEINSÜBUNGEN
Übungen der Selbstkontrolle

Wir entwickeln unser Bewusstsein durch die Vorstellungen, die wir pflegen. Darauf wurde in allen Gesellschaften Wert gelegt. In den spirituell-religiösen Kulturen standen Vorstellungen über die geistige Welt (Gottesvorstellung und Göttermythen) im Vordergrund. (germanische Götterwelt, griechische und römische Götterwelt, Gottvorstellung im Judentum, Christentum und Islam). Auch in den profanen Kulturen geben Vorstellungen die Richtung vor, wie man leben und handeln solle.

Es geht aber nicht nur um die Bewusstseinsinhalte, sondern primär um die Art, wie Bewusstsein gepflegt wird. Auch dazu wurden die verschiedensten Schulungsmethoden entwickelt.

5.2.1 Achtsamkeitsübungen

Übung: Leibpräsenz
Es sollen die Augen geschlossen werden. Der Be-
wusstseinsfocus geht nach Innen. Nun soll versucht
werden einfach seine leibliche Präsenz zu spüren
und innerlich zur Ruhe zu kommen. Oft werden dabei körperliche Verspannungen und Haltungen gespürt. Diese lassen sich durch entsprechende Lockerungsbewegungen oft lösen.
　　　Dies kann durch die folgende Übung vertieft
werden.

Übung: Präsenzübung [17]
Nimm auf deinem Stuhl Platz und versuche dich
möglichst entspannt hinzusetzen. Schließe die Augen und spüre wie du sitzt. Nimm Kontakt auf zu
deinem Körper. Spüre in deine Schultern und dei-

---

[17] Siehe auch: Fontana David: Einführung in die Zen-
Meditation, Theseus 2003

nen Nacken hinein und versuche mögliche Verkrampfungen durch Lockerungsbewegungen zu lösen. Spüre in deine Arme und Hände hinein. Versuche die Hände einige Male zur Faust zu machen. Spüre die damit einhergehende Spannung und lasse dann wieder los. Vielleicht gelingt es dir dieses Gefühl der Entspannung über den ganzen Körper zu verbreiten.

Nimm nun Kontakt auf zu den Stellen, mit denen dein Körper die Außenwelt berührt. Richte dein Bewusstsein auf die Stellen, wo du den Stuhl berührst. Spüre die Berührungsstellen deiner Oberschenkel und deines Gesäßes mit der Sitzfläche des Stuhles. Empfinde wie an diesen Stellen, der Stuhl dein Körpergewicht trägt und du ganz loslassen kannst. Spüre auch die Berührungsstelle, die du am Rücken mit dem Stuhl hast. Nimm Kontakt auf zu der Stelle, wo deine Füße den Boden berühren. Spüre die Stellen, wo deine Arme auf den Oberschenkeln liegen. Vielleicht kannst du auch die Berührungsstellen, die deine Kleidung auf der Haut haben, empfinden.

Nun richte dein Bewusstsein auf deinen Atem. Nimm einfach den Strom des Lebens wahr: wie die Luft in dich hineinströmt und wieder aus dir herausströmt. Nimm diesen Rhythmus wahr ohne irgendetwas willentlich beeinflussen zu wollen. Folge mit deinem Bewusstsein dem Ein und Aus des Atems.

Wenn in dein Bewusstsein irgendwelche Gedanken, Sorgen, usw. eindringen wollen, dann nimm sie liebevoll wahr und lass sie wieder gehen. Mach dies ebenso mit Störgeräuschen, die von außen kommen. Versuche nicht gewaltsam diese Geräusche und den evtl. Ärger aus deinem Bewusstsein zu entfernen, sondern nimm einfach wahr, was ist.

Übung: Jakobson'sches Entspannungstraining [18]
Mit geschlossenen Augen und versucht der Übende ein Bewusstsein für die Spannung, bzw. Entspannung seines Muskelorganismus zu bekommen. Dabei spannt er bestimmte Muskelpartien des Körpers zunächst fest an. Er beginnt beispielsweise mit der rechten Hand und spannt sie einige Sekunden zur Faust an. Dabei versucht er die Muskelanspannung entsprechend wahrzunehmen. Dann lässt er die Faust los und entspannt sie. Auf diese Weise kann er den ganzen Körper durchgehen. (linke Hand, Unterarm, Oberarm, Fuß, Wade Oberschenkel, Rücken

---

[18] Hainbuch Friedrich: Progressive Muskelentspannung, Taschenbuch Kindle 2015

Schultern, Gesichtsmuskulatur usw.). Dadurch kann ein Wahrnehmungsgefühl für die leibliche Spannung und Entspannung erlebt werden. Später genügt oft schon die mentale Vorstellung dieses Gefühls, um die körperliche Entspannung erzeugen.

Übung: Autogenes Training [19]
Im autogenen Training geht es auch um eine Entspannung des Körpers, wobei der Ansatzpunkt mehr im mentalen Bereich liegt.
Der Übende setzt sich möglichst entspannt auf seinen Stuhl (Droschkenkutscherhaltung) und versucht Arme Hände Schultern, usw. ganz loszulassen. Dann versuche er das Gewicht der Arme, „die Schwere" der Arme und Hände zu empfinden und eine Zeit ganz bei dieser Schwerempfindung zu bleiben. Dabei kann er nicht nur die Schwere seiner Glieder, sondern auch eine beginnende Wärme empfinden. Diese Vorstellung kann noch verstärkt werden, indem er sich vorstellt, wie das Blut durch die entspannten Muskeln in seiner Wärme strömt. Die „Schwere und Wärmeempfindung" wird nun auch auf den übrigen Leib erweitert. Durch entspre-

---

[19] Schulz I.H.: Das autogene Training, Georg Thieme Verlag Stuttgart, 14.Auflage 1973 (Erstauflage 1932)

chendes Üben gelingt es allein über die mentale Vorstellung dieses Schwere und Wärmegefühl zu erreichen.

Übung: Allgemeines Körperempfinden

Bodyscanning[20]

Schließe die Augen und versucht zunächst einfach deinen Leib zu empfinden. Versuche eventuelle Verspannungen im Schulterbereich durch leichte Lockerbewegungen zu lösen.

Nun kannst du mental den ganzen Körper einzeln innerlich durchspüren. Es wird sozusagen eine mentale Wanderung durch den ganzen Leibesorganismus gemacht. Es kann auf diese Weise von der kleinen Zehen über den Fuß, Wade Knie Bein, Unterleib, Brust usw. bis zum Kopf der gesamten Leib durchspürt werden. Ein intensives Gefühl der leiblichen Präsenz entsteht.

---

[20] Das Body-Scanning ist eine Methode, die gerne in MBSR Kursen (Mindfulness Based Stress Reduction) angewendet wird.

Atem spüren

Nun wird - ähnlich wie oben beschrieben – das Bewusstsein auf das Herein und Herausströmen des Atems gerichtet. Es soll dabei willentlich nichts manipuliert werden.

Körperkraft und Pulsschlag:

Eine weitere Qualität des Körperempfindens wird erreicht, wenn der Pulsschlag bewusstseinsmäßig mit einbezogen wird. Der Rhythmus des Herzschlags und des Blutstroms, der durch einen strömt, soll seiner Eigendynamik einfach wahrgenommen werden. Dabei entsteht ein Gefühl der Körper und Lebenskraft, die einem zur Verfügung steht.

Übung: Bewusstes langsames Schreiten
Dabei wird der Ablauf des Schreitens ganz bewusst in den Blick genommen: Das Heben des Fußes, das langsame nach vorne Bewegen, das Aufsetzen, die Verlagerung des Gewichtes während des Hebens und Führens des Fußes bis hin zum Aufsetzen, usw.
Solche Schreitübungen werden im Buddhismus, aber auch in der Eurythmie (Dreiteiliges Schreiten) gepflegt.

Übung: Bewusstes Handeln
Das Ziel der Bewusstseinsschulung ist es, jede Handlung geistesgegenwärtig zu vollziehen. Gleichgültig, ob es um das Aufstehen oder das Niedersetzen, einen Teller aus dem Schrank nehmen, oder die Toilette putzen geht, jede Handlung soll bewusst durchgeführt werden.

5.2.2 Selbstkontrollübungen

Bei den psychischen Selbstkontrollübungen kommt es darauf an, sein Seelenleben selbstkontrolliert zu führen und sich nicht von irgendwelchen Reizen, Assoziationen und zufälligen Umwelteinflüssen bestimmen zu lassen.

Übung: Gedankenkontrolle (nach Steiner)
„Man wähle sich irgendeinen einen möglichst uninteressanten Gedanken. Dadurch wird die selbsttätige Kraft des Denkens, auf die es ankommt, mehr erregt, während bei einem Gedanken, der interessant ist, dieser selbst das Denken fortreißt. Es ist besser, wenn diese Bedingung der Gedankenkontrolle mit einer Stecknadel, als wenn sie mit Napoleon dem Großen vorgenommen wird. Man sagt sich: Ich gehe jetzt von diesem Gedanken aus und reihe an ihn durch eigenste innere Initiative alles,

was sachgemäß mit ihm verbunden werden kann."
(R. Steiner Anweisungen für eine esoterische Schule, R. Steiner Verlag 1976 S.16)

Um wirklich eine Schulung zu erreichen, muss eine solche Übungen über lange Zeit fortgeführt werden. Man nehme sich also für jeden Tag zehn Minuten des Tages für diese Übung vor und übe dann über einige Monate hinweg. Es geht darum, dass ich bestimme, welche Gedanken ich habe und nicht die Gedanken mich bestimmen.

Übung: Willenskontrollübung (nach Steiner)

Ähnliches gilt für das Wollen. Diese Übung sollte ebenfalls jeden Tag zehn Minuten ausgeführt werden. „Man versuche irgendeine Handlung zu erdenken, die man nach dem gewöhnlichen Verlaufe seines bisherigen Lebens ganz gewiss nicht vorgenommen hätte. Man mache sich nun diese Handlung für jeden Tag selbst zur Pflicht. Es wird daher gut sein, wenn man eine Handlung wählen kann, die jeden Tag durch einen möglichst langen Zeitraum vollzogen werden kann. Wieder ist es besser, wenn man mit einer unbedeutenden Handlung beginnt, zu der man sich sozusagen zwingen muss, zum Beispiel man nimmt sich vor, zu einer bestimmten Stunde des Tages eine Blume, die man sich gekauft hat zu begießen. „(R.Steiner Anweisungen für eine esoterische Schule, R.Steiner Verlag 1976 S.16)

Auf diese Weise kann es gelingen die ichhafte Kontrolle über seinen Willen und seine Handlungen immer mehr zu stärken. Eine weitere grundlegende Willensübung nach Steiner ist die Änderung von Gewohnheiten.

Übung: Gewohnheiten ändern (nach Steiner)

Der Übende kann sich z.B. entschließen für vier Wochen seine Schriftform, statt nach rechtsgeneigt nach links geneigt zu ändern oder statt jeden Morgen mit dem rechten Fuß aus dem Bett zu steigen einmal drei Wochen lang den linken Fuß zuerst zu nehmen usw.
Auch das gilt es über einen längeren Zeitraum hin zu üben.

Übung: Willensübungen aus der Psychosynthese
Viele Übungen zur Willensschulung finden sich in der Psychosynthese von Assagioli. [21]

---

[21] Ferrucci Piero: Der Wille – unsere innere Kraft, Nawo Verlag Zürich 2020

Übung: Gefühlskontrolle „Positivitätsübung" (nach Steiner)
„Sie besteht darin, allen Erfahrungen, Wesenheiten und Dingen gegenüber stets das in ihnen vorhandene Gute, Vortreffliche, Schöne usw. aufzusuchen. Am besten wird diese Eigenschaft der Seele charakterisiert durch eine persische Legende über den Christus Jesus. Als dieser mit seinen Jüngern einmal einen Weg machte, sahen sie am Wegrande einen schon in Verwesung übergegangenen Hund liegen. Alle Jünger wandten sich von dem hässlichen Anblick ab, nur der Christus Jesus blieb stehe, betrachtete sinnig das Tier und sagte: „Welch wunderschöne Zähne hat das Tier!" Wo die anderen nur das Hässliche, Unsympathische gesehen hatten, suchte er das Schöne. So muss der esoterische Schüler trachten, in einer jeglichen Erscheinung und in einem jeglichen Wesen das Positive zu suchen. „(R.Steiner Anweisungen für eine esoterische Schule, R.Steiner Verlag 1976 S.18)

5.2.3 Geistige Aufmerksamkeitsschulung

Geistige Präsenz wird einerseits dadurch erreicht, dass sich der Übende in seiner **schöpferischen Ichpräsenz** erleben kann, zum andern geschieht das dadurch, dass der Übende sein persönliches Ich überschreitet. Er erlebt das **Überpersönliche** oder **Transpersonale,** indem er sich geistig mit den Wesen seiner Umgebung verbindet.

Die Methoden, die dabei verwendet werden sind in erster Linie **Mediation, Kontemplation und das Gebet.**

Erst muss Ich erlebt werden, damit man über sein Ich zum Überpersönliche vordringen kann. Eine grundlegende Übung zum Erleben des Ich hat der italienische Psychologe Assagioli vorgeschlagen.

Übung: Ichübung (nach Assagioli)[22]

In dieser Übung, die meditativ ausgeführt sein will, hat man die Möglichkeit hat, das Erleben des eigenen Selbstes nachzuvollziehen.

Anweisung:
a) **Körper** fühlen: Ich bringe meinen Körper in eine bequeme und entspannte Lage, die Augen sind geschlossen. Ich spüre Füße, Hände, Zehen, Wangen Mund, Schultern, usw. Pochen meines Herzens , das Auf und Ab meiner Brust und Bauches.

---

[22] Der Text stammt aus einem Seminar am Psychosynthesehaus Überlingen, info @psychosynthesehaus.de

Disidentifikation: Dann bekräftige ich: <u>Ich habe einen Körper, aber ich bin nicht mein Körper</u>. Mein Körper mag in unterschiedlicher Verfassung sein, gesund oder krank, er mag ausgeruht oder müde sein, dies hat jedoch <u>nichts mit meinem Selbst</u> zu tun, mit meinem wirklichen Ich. Mein Körper ist mein kostbarstes Instrument der Erfahrung und des Handelns in der äußeren Welt, aber er ist nur ein <u>Instrument</u>. Ich behandle ihn gut, versuche ihn gesund zu erhalten, aber er ist nicht mit mir identisch, er ist nicht Ich. <u>Ich habe einen Körper, aber ich bin nicht mein Körper</u>

b) **Gefühle** wahrnehmen: Nimm eine Situation wahr, wo Du ein starkes Gefühl hattest. Erlebe dieses Gefühl, wie spürt es sich an, was erlebe ich leiblich dabei.

Angst

Aggressivität

Freude

Trauer

Disidentifikation: Ich habe Gefühle, aber ich bin nicht meine Gefühle. Die Gefühle sind zahllos, widersprüchlich, wechselhaft, und dennoch weiß ich, <u>dass ich stets Ich bleibe</u>, in Zeiten der Hoffnung oder Verzweiflung, in Freude oder Leid, in Ruhe und

Unruhe. Da ich meine Gefühle beobachten, verstehen und beurteilen kann, sie zunehmend beherrsche und ihnen eine Richtung gebe und sie gebrauche, ist es offensichtlich, dass sie nicht ich selbst sind. Ich habe Gefühle, aber ich bin nicht meine Gefühle.

c) **Wille/Verlangen** wahrnehmen: Ich habe Ziele in meinem Leben, die ich verfolgen will. Es gibt Dinge, die ich unbedingt verfolgen will. Ich habe Ideale, die ich in der Welt realisieren will. Ich habe Bedürfnisse der verschiedensten Art, die ich erfüllen will. Geistige, körperliche und emotionale Bedürfnisse. Wenn ich Durst habe, habe ich das Verlangen zu trinken, wenn ich Hunger habe zu essen. Vielleicht habe ich auch in meiner Familie Dinge, die ich anstrebe oder in meinem Beruf Strebungen, die ich verwirklichen will. Das ist alles sehr wichtig und es kommt dadurch Kraft und Richtung in mein Leben.

Disidentifikation:
Ich habe Verlangen, aber ich bin nicht mein Verlangen. Auch mein Verlangen, meine Strebungen Ideale und Begierden ändern sich und verwandeln sich. Sie unterliegen dem Wechsel von Anziehung und Abstoßung. Ich habe Verlangen, aber ich bin nicht mein Verlangen

d) **Denken/Verstand** wahrnehmen: Es sollen einige Kopfrechenaufgaben innerlich vollzogen werden, dann wird über zeitpolitischen Ereignisse und über mich selbst nachgedacht. Es wird eine Rätselaufgabe gegeben. Gedanken über einen Mitmenschen gemacht. Ich kann sogar über das Denken denken.

Disidentifikation: Ich habe Gedanken, ich habe einen Verstand, aber ich bin nicht meine Gedanken, ich bin nicht mein Verstand. Mein Verstand ist mehr oder weniger entwickelt. Er ist aktiv. Er ist undiszipliniert, aber gelehrig. Er ist ein Organ der Erkenntnis bezüglich der äußeren und inneren Welt. Aber das bin ich nicht selbst. <u>Ich habe einen Verstand, aber ich bin nicht mein Verstand.</u>

e) <u>**Selbstidentifikation**</u> . Was bin ich dann? Ich kann mich von meinen Körperempfindungen Gefühlen, Strebungen/Begierden und Gedanken disidentifizieren. Was bin ich dann? Ich erkenne und bekräftige: <u>Ich bin ein Zentrum reiner Bewusstheit.</u> Ich bin ein Zentrum des Willens und fähig meine seelischen Prozesse und meinen physischen Körper zu benutzen, zu beherrschen und in bestimmte Richtungen zu lenken.

Das Wesen meiner Selbst bleibt, wenn ich von meiner Selbstidentität die physischen, emotionalen und mentalen Inhalte meiner Persönlichkeit wegnehme. Ich bin ein Zentrum reiner Selbst-Bewusstheit und Selbstverwirklichung. Das Ich ist der Faktor in dem sich ständig verändernden Fluss meines persönlichen Lebens. Es ist das, was mir das Gefühl der Existenz gibt, der Dauer, der inneren Sicherheit. Ich erkenne und bestätige mich als ein Zentrum reinen Selbstbewusstseins. Ich erkenne, dass dieses Zentrum nicht nur in einer statischen Selbstbewusstheit besteht, sondern auch dynamische Kraft hat; es ist fähig alle seelischen Prozesse und den physischen Körper zu beobachten zu beherrschen zu lenken und einzusetzen. Ich bin ein Zentrum von Bewusstheit und Kraft.

Nun kann übergegangen werden zu Übungen, in denen nicht mein Ich, sondern mein „Überich" oder „Nichtich" im Vordergrund steht. Sie helfen um über das eigene Ich hinauszukommen.

<u>Übung: Dankbarkeitsübung</u>[23]

Eine gute Übung um das egoistische Ichgefühl zu überschreiten ist die Dankbarkeitsübung, in der der

---

[23] R.Steiner Wie erlangt man Erkenntnisse der höheren Welten Steiner Verlag 1961 S.76

Blick darauf gerichtet wird, wem und was man eigentlich seiner Umgebung alles verdankt.

Übung: Geistige Übungen

Überall dort, wo versucht wird, die Welt, in der man lebt zu verstehen, ist der Betreffende geistig tätig. Das wissenschaftliche Erkennen ist an erster Stelle zu nennen. Der Wissenschaftler ist in seinem Tätig-Sein auf jeden Fall konzentriert. Das äußere materielle Erkennen kann aber noch sehr egoistisch und zweckorientiert ablaufen.

Deswegen ist es wichtig, auch die geistige Erkenntnis zu pflegen. Das wurde in allen spirituellen und religiösen Schulen praktiziert. Es gibt in allen Kulturen philosophische und religiöse Texte, Mediationen und Gebete, die darauf angelegt sind, eine gute, liebevolle Verbindung zu anderen Wesen aufzubauen. Dadurch wird ein transpersonales geistiges Bewusstsein geschaffen, das als eine besondere fruchtbare Qualität der Bewusstseinsentwicklung angeschaut werden kann.

Je nach Weltanschauung wird der Übende eine Fülle von Schulungsmaterial finden.

Übung: Liebende Güte Mediation [24]

In der buddhistischen Schulung gibt es eine Mediation, die darauf ausgerichtet ist allen Menschen gute Gedanken, Empfindungen und Impulse zukommen zu lassen.
Wer seine Aufmerksamkeit in dieser Weise zentriert, wird viel zu einer fruchtbaren, menschlichen Entwicklung beitragen.

---

[24] Ayya Khema Das größte ist die Liebe, Jhana Verlag 1999, S.96ff

KAPITEL VI

DER UMGANG MIT DER AUFMERKSAMKEIT

LEBENSPFLEGE UND SCHULUNG

6. DER UMGANG MIT DER AUFMERKSAMKEIT

6.1 DIE PFLEGE DER LEBENSFÜHRUNG

In unserer Kultur ist Vieles verloren gegangen, was eine gesunde Aufmerksamkeitsentwicklung fördert. Das betrifft den körperlichen, seelischen und geistigen Lebensbereich.

Körperliche Tätigkeiten werden von Maschinen übernommen. Es wird nicht mehr mit der Hand aufgewaschen und abgetrocknet. Das erledigt die Spülmaschine. Die Wäsche wird nicht mehr mit der Hand gewaschen, das macht die Waschmaschine. Es wird weniger gelaufen, sondern Verkehrsmittel werden genutzt usw. Aufmerksamkeit aber wird zuerst im praktisch-körperlichen „Tätig sein" realisiert.

Die **seelische Ausgeglichenheit** ist durch unseren Lebensstil gefährdet, der Stress und Nervosität begünstigt. Es besteht die Tendenz entweder in Aktivismus zu verfallen und keine Zeit zu haben oder mit seiner Zeit nichts anfangen zu können und lethargisch zu werden. Innere Ruhe und Ausgeglichenheit ist nötig, um sich aufmerksam der Welt zuwenden zu können. Das gelingt am besten durch eine sinnvolle Arbeit, die den Menschen erfüllt und Ideale und Werte, hinter denen man stehen kann.

Diese hängen mit der **geistigen Lebensorientierung** zusammen. In früheren Zeiten war diese durch die Religion und Gesellschaft weitgehend vorgegeben. Es gab allgemeine Werte, hinter denen nahezu alle Menschen standen. Heute muss die geistige Orientierung und eine sinnhafte Lebensorientierung jeder in sich selbst finden.

6.1.1 Körperlicher Lebensbereich

(Pflege der Gesundheit)

Unsere Aufmerksamkeit hängt von unserer körperlichen Verfassung ab. Die physische Grundlage für unsere Aufmerksamkeit pflegen wir, wenn wir dafür sorgen, dass wir gesund sind, dass wir ausgeschlafen sind und uns gut ernähren.

Körperliches Unwohlsein (z.B. **Zahnschmerzen)** kann unsere Aufmerksamkeit vollkommen in Beschlag nehmen. Ähnliches gilt für andere Beschwerden. Wer Magenschmerzen hat oder von Übelkeit geplagt wird, ist kaum in der Lage, seine Aufmerksamkeit seiner Umwelt zuzuwenden. Schon eine Grippe oder **Allergie** schwächt unsere Konzentrationsfähigkeit.

Nahrungsmittel und Stoffe beeinflussen unsere Aufmerksamkeit. Ein dumpfer Bewusstseinszustand lässt sich mit **Aufputschmitteln** (Rauchen,

Kaffeetrinken oder hohem Zuckerkonsum) kurzfristig erhöhen und ein nervöser, überdrehter Bewusstseinszustand durch **Beruhigungsmittel** verändern.

Im Römertum gab es das Wort „**Ein voller Bauch studiert nicht gerne!**" Wenn jemand zu viel isst, wird das sein Aufmerksamkeitslevel ebenso herabsetzen wie eine unzureichende Ernährung. Wenn Kinder **Hunger leiden** und zusehen müssen, wie sie sich etwas Essbares besorgen können, werden sie kaum Interesse und Aufmerksamkeit für schulisches Lernen aufbringen. Manche Nahrungsmittel sind für eine gesunde Aufmerksamkeitsentwicklung wenig geeignet.

Zur Gesundheitspflege gehört auch ein geregelter **Schlaf und Wachrhythmus**. **Übermüdung** führt immer zu Aufmerksamkeitsproblemen.

Übung: Körperliche Gesundheit und Lebensstil

Überprüfen Sie diesbezüglich die eigene Lebenssituation. Was lässt sich an der persönlichen Situation von Ihnen oder Ihrem Kind zur Verbesserung der gesundheitlichen Pflege tun?

6.1.2 Seelischer Lebensbereich

(Pflege der Ausgeglichenheit)

Auch unsere seelische Verfassung beeinflusst unsere Aufmerksamkeit. Wer sich dauernd überanstrengt, kommt **nie zur Ruhe** und ist genauso gefährdet wie derjenige, der nichts tut. Sowohl **Stress,** als auch **Trägheit** sind Gift für die Konzentrationsfähigkeit. **Einseitigkeiten im Lebensstil** sind hier von Bedeutung. Wer nach Feierabend sich im Fernsehen einen Thriller nach dem anderen anschaut, wird ebenso wenig zur **Ruhe finden** wie derjenige, der seinen Urlaub im gleichen Stil verbringt wie einen stressreichen Arbeitstag.

Die Kunst besteht darin, einen ausgeglichenen **Rhythmus von kreativer Tätigkeit und besinnlicher Ruhe** zu finden.

Den Wechsel zwischen **Aktivitäts-** und **Ruhephasen** kennt man in allen Kulturen. Schon in der Bibel wird der Mensch aufgefordert, die Arbeit zu unterbrechen und einmal in der Woche einen **Ruhetag** einzuschalten. In jedem Arbeitsprozess sollten Anspannungsphasen und Entspannungsphasen wechseln. Der **Feierabend** nach einem Arbeitstag wurde schon im Mittelalter für wesentlich gehalten.

Das Urbild dieses Wechsels ist der Rhythmus **von Wach- und Schlafzustand.** Das „pflegliche zu

Bett bringen eines Kindes" mit entsprechenden Gewohnheiten, Aufräumen, Auskleiden, Waschen und Zähneputzen, „gute Nacht"- Geschichte und gute Nacht- Wünschen ist ebenso wichtig, wie der **Übergang vom Schlaf zum Wachzustand** am nächsten Morgen.

Das gilt auch für den Erwachsenen, der am Tagesbeginn gut daran tut, sich besinnlich auf seinen Arbeitstag vorzubereiten. Auch für ihn ist am Abend eine Mediation hilfreich, in der die Tagesereignisse losgelassen werden können und der „Nacht übergeben" werden.

Aufmerksamkeit braucht eine rhythmische Gestaltung. Wenn sich jemand viel bewegt hat, ist es sinnvoll, eine mehr besinnliche Tätigkeit anzuschließen. Das kann beispielsweise eine Geschichte, ein ruhiges Spiel oder ein Gespräch sein.

Das Prinzip vom **Wechsel der Tätigkeiten** ist ein elementarer Aspekt des Aufmerksamkeitsprozesses. Intellektuelle, praktische und künstlerische Fächer sollten einander abwechseln. Nach der Mathematikstunde ist wieder ein Bewegungs-oder Tätigkeitsfach angesagt. Während der Mathematikstunde ist es sinnvoll, nach dem „mathematischen Beweis" etwas „Zeichnerisches" oder „Bewegungsaktives" folgen zu lassen.

Seelische Ausgeglichenheit als Grundlage der Aufmerksamkeit wird durch **Ängste, Stress und Bedrohungen** beeinträchtigt. Wenn ein kleines Kind vor der Schule erst einen **eskalierenden Streit der Eltern** und dann eine **Unfall auf der Straße** erlebt hat, ist es innerlich wahrscheinlich im Unterricht mit etwas anderem beschäftigt als dem, was gerade auf dem Stundenplan steht.

Stress wird auch durch **Konkurrenz und Selektion** gefördert. Eine soziale Rahmensituation, in der es darauf ankommt, immer besser als der Mitbewerber zu sein, erzeugt Druck. Sicherheit und **Geborgenheit in einer Gemeinschaft** schafft den **Raum**, in dem ein Mensch seine **Aufmerksamkeit** frei entwickeln kann.

Seelische Ausgeglichenheit ist ein Zustand, der immer wieder neu errungen werden muss. Widerstände und Konflikte gehören zum Leben dazu. Wir brauchen sie sogar, um unser individuelles Ich zu entwickeln. Manchmal ist ein gewisser „seelischer Druck" nötig, um jemanden aus seiner **Lethargie und Untätigkeit zu erwecken**. Äußere **Bedrohungsmittel** und Druck sind allerdings langfristig wenig erfolgreich. Mit Sanktionen in Form von **Belohnung und Bestrafungen** lässt sich Aufmerksamkeit nur vorübergehend und äußerlich herstellen.

Übung: Seelische Ausgeglichenheit

Welche Möglichkeiten haben Sie ihre seelische Ausgeglichenheit (oder die Ihres Kindes) zu verbessern. Gibt es Stressfaktoren (Ängste, Bedrohungen, Überforderungen), die sie beseitigen oder vermindern können?

6.1.3 Geistiger Lebensbereich

(Orientierung, Sinn, Werte, Ideale)

Unsere **Werte** geben der Aufmerksamkeit die Richtung vor. Wir sind dort geistig präsent, wo wir einen **Sinn** in unserer Tätigkeit sehen können. Wer weiß, **was er im Leben tun sollte**, hat eine Orientierung für seine Aufmerksamkeit.

In den alten religiös-spirituellen Kulturen waren diese Werte klarer. In der **mittelalterlichen Ständegesellschaft** wusste der Bauer, Handwerker oder Adelige schon durch Geburt, welche **Lebensaufgaben** ihm zufielen. Tages- und Lebenslauf waren auf diesem Hintergrund strukturiert.

Letzten Endes erhält die Aufmerksamkeit ihre **Ausrichtung** durch die **Weltanschauung** und **Glaubensüberzeugung,** die der Betreffende hat. Der egoistische Materialist wird seine Aufmerksamkeit darauf richten wie er möglichst reich und mächtig wird. Der Kommunist strebt eine gerechte, soziale Gemeinschaft an und der religiöse Mensch möchte im Sinne Gottes und seiner Gebote leben. Die Aufmerksamkeit richtet sich nach den **Grundhaltungen, die im Weltbild zum Ausdruck** kommt.

Heute muss jeder Einzelne selbst herausfinden, was er tun und lassen sollte. Die biographische Frage: **„Was ist meine individuelle Aufgabe auf der Welt?" „Wie kann ich mein Leben gut gestalten?"** gibt der Aufmerksamkeit die Richtung vor. Jeder hat solche Lebensmotive. Wenn diese nicht ergriffen werden, wird der Betreffende schnell von **„Unruhe und Nervosität"** geplagt.

Übung: Geistige Gesundheit und biographische Aufgabe

Welche Möglichkeiten nutzen Sie, um sich geistig zu schulen? Welches sind Ihre Ideale? Was sind Ihre speziellen biographischen Aufgaben?

6.2 DIE PFLEGE DES BEWUSSTSEINS
(Denkmuster, Urteile, Diagnosen)

Die Art wie wir unser Bewusstsein bilden, bestimmt, was wir erkennen können. Deswegen ist es wichtig, sich ein **Bewusstsein vom eigenen Bewusstsein zu verschaffen.**

6.2.1 Bewusstsein schafft Wirklichkeit

Unser **Bewusstsein schafft** zum großen Teil die **Realität**, die wir wahrnehmen. Dieses Phänomen wurde in der Psychologie unter dem Stichwort **„selffullfilling prophecy"** (sich selbst erfüllende Prophezeiung) beschrieben. Sie funktioniert nach folgendem Muster:

Beispiel einer AD(H)S Diagnose:
Der Fachdiagnostiker stellt fest:„ Genetisch verursachte AD(H)S Störung". Eine solche Diagnose hat eine Wirkung auf die betroffenen Menschen. Die Eltern und Lehrern werden dazu tendieren zu meinen "da kann man sowieso nichts machen", „das ist ja genetisch verursacht", „da liegt ein organischer Defekt vor" usw. Solche Gedanken lähmen den pädagogischen Enthusiasmus der Erzieher aber auch die Einsatzbereitschaft des Kindes. Folgender Teufelskreis entsteht:
1) Das Kind muss sich sagen: Ich habe eine Krankheit. Die heißt AD(H)S
2) weil ich diese Krankheit habe, kann ich nicht richtig aufpassen
3) Es nützt deshalb nichts, wenn ich mich bemühe aufzupassen; schließlich habe ich ja AD(H)S
4) Das Kind bemüht sich nicht mehr um Aufmerksamkeit.

5) Folglich gelingt es dem Kind immer weniger sich zu kon-
zentrieren
6) Die Aufmerksamkeitsstörung verstärkt sich. Die Diagnose
AD(H)S erfüllt sich selbst.

In der **Kommunikationsforschung** und **systemi-
schen Psychologie** sind diese Dinge bekannt. Die
Menschen beeinflussen sich durch ihre gegenseitigen Einstellungen, auch wenn sie selbst meinen,
einen objektiven Tatbestand zu beschreiben.

Beispiel: Nörgelnde Frau und untätiger Mann

Schon Watzlawik[25] hat in seinem Klassiker über menschliche
Kommunikation jenes Paar beschrieben, in dem die Frau
nörgelt und der Mann sich zurückzieht. Die Frau nimmt das
Zurückziehen des Mannes wahr, der Mann nimmt das Nör-
geln seiner Frau wahr. Beide glauben objektiv das Verhalten
ihres Partners beschrieben zu haben. Der Mann diagnostiziert „nörgelnde Frau", die Frau diagnostiziert „unengagier-
ter Mann„. Beide können aber nicht die Zirkularität des
Ganzen erkennen. Sie sehen nicht, dass der Mann sich zurückzieht, weil sie dauernd nörgelt und die Frau nörgelt,
weil er sich zurückzieht. Sie rufen die Diagnosen durch ihr
eigenes Verhalten hervor. Der eigene Anteil am Verhalten

---

[25] Watzlawik/Beavon/Jackson: Menschliche Kommunikation, Verlag Hans Huber, Bern Stuttgart Wien 1967

des anderen wird nicht erkannt, sondern man nimmt einseitig eine ursächliche Eigenschaft jeweils beim Kommunikationspartner an.

Die Dynamik der sich selbst erfüllenden Prophezeiung lässt sich bei allen möglichen Alltagsdiagnosen zu beobachten. Negative Diagnosen und Urteile blockieren meist eine positive Entwicklung, gleichgültig, ob jemand als faul, dumm, unbegabt oder aufmerksamkeitsgestört bewertet wird und diese Urteile evtl. noch mit wissenschaftlichen Tests belegt werden.

Es gibt Denkmuster, Verhaltensstrukturen, Paradigmen und Einstellungen, die ein lebendiges Bewusstsein fördern und andere, die es blockieren.

6.2.2 Lebendiges Bewusstsein

(Bewusstseinsblockaden)

Es genügt nicht die Aufmerksamkeit der Mitmenschen zu beobachten und daraus Gesetzmäßigkeiten des Bewusstseins (Aufmerksamkeit) abzuleiten. Wir sind als **Beobachter selbst** ein **Teil des Prozesses**. Die **Aufmerksamkeit** muss **auf das eigene Bewusstsein** gelenkt werden.

In den alten spirituell religiösen Kulturen wurde diese Tatsache so ausgedrückt: **Ohne Selbsterkenntnis** wird man **nicht zur Welterkenntnis** ge-

langen. Ein selbstreflexiver Akt ist für eine sachge-
rechte Erkenntnis nötig. In der Bibel spricht der
Christus davon, dass bestimmte Menschen dazu
neigen den Splitter im Auge ihres Mitmenschen beseitigen zu wollen, während sie selber den Balken
im eigenen Auge nicht wahrnehmen können. Solche
„Blindheiten" des Bewusstseins kommen zustande,
wenn die Aufmerksamkeit nicht auch selbstreflexiv
auf das eigene Seelenleben gerichtet wird..

In der modernen Psychologie wurde diese
Dynamik unter dem Stichwort **„Verdrängungsme-
chanismen"** aufgegriffen. Die Art, wie wir unser
Bewusstsein gestalten, bestimmt, was in unseren
Aufmerksamkeitsfocus gerät.

Verdrängung und Akzeptanz

Wenn eine Störung nicht wahrgenommen wird,
kann sie auch nicht gelöst werden. Bei der Verdrängung macht sich der Betreffende blind gegenüber
Dingen, die verändert werden sollten. Meist handelt es sich dabei um eigene Denkmuster und Eigenschaften. Der Betreffende sieht **kein Problem**
und hat deshalb auch keinen Grund etwas zu verändern. Beim Verdrängen werden Aufgaben ins **Unbewusste** geschoben. Jede Bewusstseinsentwicklung ist von einer **Dynamik von Bewusstem und**

Unbewusstem geprägt. Da gilt es sich in ein richtiges Verhältnis zu setzen.

Statt Unzulänglichkeiten zu verdrängen gilt es, sie zu akzeptieren ohne sich in seinem Engagement entmutigen zu lassen.

Verdrängung kann auch eine gewisse Berechtigung haben. Wenn ein Mensch in einer bestimmten Lebenssituation ein Thema nicht aufgreifen möchte, dann ist für ihn möglicherweise der Zeitpunkt nicht geeignet. Es gehört zur menschlichen Freiheit hinzu, dass **jeder selbst entscheiden kann, wann und worauf er seine Aufmerksamkeit richten will**. Einen Mitmenschen, der „verdrängt", kann man nicht zur „Einsicht" zwingen. Die muss jeder selbst für sich gewinnen.

Projektion und Selbstverantwortung

Der wichtigste Verdrängungsmechanismus ist das **Projizieren**. Dabei werden **die Gründe für eine Störung ausschließlich in der Außenwelt** (bzw. den Mitmenschen) gesucht. Der Betreffende ist damit beschäftigt, seinen Mitmenschen zu sagen, was sie zu tun und zu lassen haben. Die Aufmerksamkeit ist darauf gerichtet, wie sich die Umwelt verändern sollte. Es fehlt der **reflexive Blick**, der fragt, **was** man selbst zur Lösung eines Problems beitragen kann.

Unrecht und **schädliche Verhaltensweisen** der Mitmenschen anzusprechen und sich zu widersetzen, ist oft auch nötig. Der Blick auf äußere Ursachen einer Störung hat seine **Berechtigung.** Die Aufmerksamkeitsstörung eines Kindes kann durch ein abwertendes Lehrerverhalten, spottende Mitschüler oder ein überforderndes Schulsystem hervorgerufen oder zumindest verstärkt werden.

Wenn Menschen projizieren und alle Selbstreflexion außer Acht lassen, kommt es leicht zu einem „Teufelskreis gegenseitiger Schuldzuweisungen". In jedem Fall ist es fruchtbar sein **Hauptaugenmerk darauf zu legen, was man selbst zur Verbesserung einer Problemsituation beitragen** kann. Die einzige Stelle, wo sich in der Welt ganz sicher etwas verändern lässt, liegt in mir selbst. Einen anderen Menschen kann niemand ändern. Man kann sich als Beziehungspartner höchstens so verhalten, dass der Mitmensch seine Selbstverantwortung erkennen kann. **Fremdverantwortung und Selbstverantwortung gehören zusammen**. Die Kunst ist es, beide in ein richtiges Verhältnis zu bringen.

Festschreibung und Veränderung

Entwicklung wird oft dadurch verhindert, dass **Eigenschaften als unveränderlich** betrachtet werden. Dann wird der Mitmensch durch feste Urteile „gefesselt". Wer von einem Menschen sagt: Der ist **dumm** (IQ 79), der ist **faul**(Willensschwäche), der ist **unaufmerksam** (AD(H)S), der ist **Legastheniker, Dyskalkuliker, Autist, aggressiv, depressiv** usw. neigt zu solchen Festschreibungen.

Der Urteilende glaubt dabei, dass seine Erfahrungen seine Meinung bestätigen. Es ist aber nicht gesagt, dass ein Mensch, der in der Vergangenheit unaufmerksam war, auch in der Gegenwart und Zukunft unaufmerksam ist. Jeder Augenblick ist neu und kann von dem Betreffenden anders gestaltet werden.

Isolierte feste Urteile (Diagnosen) wirken tendenziell im Sinn einer sich selbst erfüllenden Prophezeiung.

Störungen werden oft als Krankheit verstanden. In diesem Fall spreche ich von einer Pathologisierung. Geistig-seelisch lässt sich eine Krankheit verbessern, wenn der Betreffende an eine Gesundung glaubt. Ein „**Glaube an eine Veränderung**" (vielleicht auch ein Wunder) ist nötig, um Entwicklungen in Gang zu bringen. Es ist schon hilfreich, wenn ein „"Legastheniker" sich sagen kann: „O.k. ich mag eine Hirnstörung, genetisches Schwäche oder sonst eine Krankheit haben, aber das hindert mich nicht daran, meine Probleme selbst in die Hand zu nehmen und zu verändern.

Festschreibungen haben auch eine gewisse Berechtigung. Für jede Entwicklung gibt es Grenzen. Da kann es für einen Betroffenen fruchtbar sein, sich einzugestehen, dass er mit bestimmten Einschränkungen leben muss. Entwicklung vollzieht sich in einem Prozess von **Verfestigung und Veränderung.** Die Kunst ist es weder in der Verfestigung zu erstarren, noch im Veränderungsstreben die Realität zu leugnen.

Form kann nur entstehen, wenn sich etwas verfestigt. Neue Formen können aber auch nur wachsen, wenn alte aufgelöst werden.

Misserfolg und Erfolgsglauben

Ein häufiger Grund für Entwicklungsblockaden der Aufmerksamkeit ist das **Erleben permanenten Misserfolges.** Wenn der Erfolg ausbleibt, verschwindet bald die Hoffnung, dass es besser werden könne. Die **Motivation bricht ein.** Der „Teufelskreis des Motivationsverlust" ist wirksam:

„Misserfolg – Selbstaufgabe (Motivationsverlust) – Verstärkung des Misserfolgs."

Motivation und Erfolgsglauben lässt sich von außen nur begrenzt herbeiführen. **Gut gemeinte Zusprachen** im Sinne von „das wird schon", „Du musst nur Selbstvertrauen entwickeln", „ich war auch ein Legastheniker, aus mir ist auch etwas geworden" usw. sind zwar kurzfristig trostreich, aber langfristig wenig überzeugend. Der Erfolgsglauben wird weniger durch Worte als durch **Erfolgserlebnisse** gestärkt.

Oft ist es nötig, einen „Misserfolg umzudeuten. Ein Diktat, indem von 120 Worten15 Fehler waren und mit der Note schlecht bewertet wurde, lässt sich auch so betrachten: von 120 Worten wurden 105 Worte richtig geschrieben. Oft ist der Blick der Betroffenen so negativ geworden, dass er seine Erfolge gar nicht mehr sehen kann.

Eine positive Betrachtung ist auch bei „Aufmerksamkeitsstörungen" nötig. Statt davon zu sprechen, dass keine Aufmerksamkeit für eine bestimmte Sache vorhanden war, ist es oft besser darauf zu schauen, dass die Aufmerksamkeit auf etwas anderes gerichtet war. Der Junge, der im Mathematikunterricht unaufmerksam war und zum Fenster hinausschaute, hat eben seine Aufmerksamkeit auf etwas anderes gerichtet. Ob jemand aufmerksam ist oder nicht hängt von dem Bezugs-rahmen ab.

Misserfolg und Erfolg gehören zusammen. Die Lern- und Bewusstseinsentwicklung geht immer von einem Zustand aus, bei dem etwas noch nicht ge-konnt wird. Das „Nichtkönnen" muss ja nicht als Defizit, sondern kann auch als Aufgabe betrachtet werden. Das wird die Initiative stärken. **Erfolg kann man nur haben, wenn man vorher etwas nicht er-folgreich konnte**.

Das Erleben eines Misserfolgs muss biogra-phisch nicht nur negativ sein. Für manchen ist es fruchtbar zu erleben, dass er nicht alles kann. Das fördert eine gewisse **Demut**.

Ungeduld und Fehlerkultur

Es gibt keinen Lern- und Bewusstseinsprozess, in-dem sofort alles gelingt. Unvollkommenheiten und Fehler gehören zu jeder Entwicklung dazu. Beim „Laufen lernen" fällt das Kind hunderte Male hin, bevor es diese Fähigkeit beherrscht. Das gilt auch für seelische und geistige Fähigkeiten wie dem Rechnen oder Meditieren.

Ungeduld entsteht, wenn sich jemand durch einen **nicht sofort eintretenden Erfolg entmutigen lässt**. Dabei stehen meist zwei Verhaltensweisen im

Vordergrund: Entweder fängt der Betreffende an wütend zu werden oder er gibt auf. **Der Teufelskreis der Ungeduld** ist aktiv.

a) Es gelingt etwas nicht
b) Der Betreffende wird ungeduldig
c) Er kommt in Stress, schimpft und gibt auf
d) Er tut nichts zur Lösung des Problems
e) Es kommt zu keinem Fortschritt und es gelingt umso weniger
f) Der Betreffende wird noch ungeduldiger, usw.

Geduld heißt tätig zu bleiben, auch wenn nicht sofort ein erwünschtes Ziel erreicht wird. Entscheidend ist, dass trotz Unvollkommenheiten und Fehlern das eigene Engagement nicht verloren geht. Fehler sind nötig, um in der Bewusstseinsentwicklung voranzukommen. Wenn jemand mit seiner **Aufmerksamkeit bei einer Sache** bleiben will, darf er sich nicht entmutigen lassen, sondern muss eine positive **Fehlerkultur** entwickeln.

Sinnverlust und Forscherdrang

Nur der wird aufmerksam bei einer Sache bleiben, der einen **Sinn in seinem Tun** sehen kann. Wo **Sinnlosigkeit** und **Chaos** erlebt wird, erlischt bald

Interesse und Aufmerksamkeit. Wichtiger als **Sinn zu haben** ist es nach **Sinn zu streben**. Beim Lösen eines Rätsels wird am Beginn auch kein Sinn erkannt. Der zeigt sich erst am Ende, wenn der Betreffende nicht aufgegeben hat. Sinn ergibt sich aus dem **Erkennen von Zusammenhängen**.

Bei der **Legasthenie** können **Buchstabenfolgen nicht als ein Wort erkannt** oder Wortfolgen nicht als ein sinnvoller Satz gesehen werden. Oft gibt es schon bei der Wahrnehmung der einzelner Buchstabenformen Orientierungsprobleme, wenn b und d oder q und p nicht unterschieden werden können.

Bei der **Dyskalkulie** findet man **keine Verbindungen der Zahlen untereinander**. Man kann nicht erkennen, dass 71 größer als 19 ist. Der Betreffende versteht Rechenoperationen nicht, weil er den Zusammenhang der einzelnen Rechenschritte nicht sehen kann.

Sinn- und Werteverlust gibt es auch im größeren Lebenszusammenhang. Der Psychologe Viktor Frankl sagte, dass das Hauptproblem des modernen Menschen sei, dass er an „Sinnlosigkeit" leide. Der wichtigste Grund für das Erleben von Sinnlosigkeit liegt darin, dass der Betreffende **übergreifende, ganzheitliche Zusammenhänge nicht erkennen kann**.

Es geht nicht darum, einen **Sinn** wahrzunehmen, sondern daran zu **glauben,** dass es einen solchen gibt und sich dann entsprechend auf den Weg zu begeben.

Weder der wissbegierige Normalbürger noch der Berufsforscher weiß am Anfang seiner Tätigkeit wie die Dinge zusammengehören. Es ist ja gerade unsere Aufgabe Zusammenhänge herauszufinden. Statt über den Sinnverlust zu jammern, ist es besser nach Vertiefung und Erweiterung seiner Erkenntnis zu streben. Das haben kluge Menschen in verschiedener Weise zum Ausdruck gebracht. Goethe drückt das in seinem Faust mit den Worten aus: **„Wer immer strebend sich bemüht, den können wir erlösen"**.

Das Streben nach Sinn (Forscherdrang) gibt der Aufmerksamkeit Kraft und Richtung.

6.2.3 Bewusstseinsdynamik bei AD(H)S

Wenn Aufmerksamkeitsstörungen auftauchen, neigen die Betroffenen zunächst dazu, diese zu **verdrängen**. Sie hoffen, dass alles schnell wieder von alleine fortgeht. Das kann durchaus sinnvoll sein. Das Bewusstsein wird dadurch nicht auf das Defizitäre gerichtet und eine mögliche negative Eskalationsspirale verhindert. Manchmal verschwinden die Probleme tatsächlich „von alleine".

Wenn allerdings die Schwierigkeiten immer drängender und offensichtlicher werden, müssen die Betroffenen sich mit der „Störung" doch bewusst beschäftigen. Das heißt die Probleme müssen diagnostiziert werden.

Solange keine „offizielle Diagnostik" vorliegt, sind die Beteiligten geneigt **moralische Interpretationsmuster** anzulegen. Es schwingt die unterschwellige Meinung mit: *„Das Kind kann nicht aufpassen. Jetzt habe mich so angestrengt ihm dies oder das beizubringen. Es fruchtet einfach nichts. Entweder ist es dumm oder faul."* Solche Urteile belasten die Beziehung zum Kind und zu den Miterziehern. Die Eltern tendierten dazu, die Lehrer als **unfähig oder unengagiert** zu beurteilen, weil sie augenscheinlich nicht in der Lage sind, ihren Unterricht so zu gestalten, dass das Kind Aufmerksamkeit entwickelt. Die Lehrer tendierten dazu die Eltern als **uneinsichtig** und unfähig zu bewerten, weil sie scheinbar das pädagogische Problem nicht sehen und ihr Kind nicht entsprechend zu unterstützen scheinen. Die Kinder fühlen sich überfordert und alleine gelassen. Die Beziehungsdynamik ist durch **gegenseitige Schuldzuweisungen** geprägt.

Da ist es nur zu verständlich, wenn eine „fachmännische" Diagnose auftaucht, die Gründe für die Störung benennt. Diese Diagnose geschieht heute meist in Form der **Krankheitsdiagnose „AD(H)S"** (Aufmerksamkeitsdefizitsyndrom). Das ist für alle Betroffenen zunächst einmal eine **Erleichterung**. Das Urteil: „ Das Kind ist ja gar nicht dumm oder faul, es ist nur krank, es hat ADS" ändert die psychische Situation grundlegend. Der moralische Druck und die Schuldvorwürfe, die sich die Eltern, Lehrer und Kind gegenseitig machten, verschwindet in diesem Augenblick. Die Beteiligten können sich sagen: *„Ach wie habe ich dem Kind, dem Lehrer oder den Eltern Unrecht getan. Das Kind ist ja gar nicht dumm und faul, es ist nur krank."*

Die menschliche Wertschätzung ist wieder hergestellt, indem die Betroffenen sich sagen können: *„Eine Krankheit hat nichts mit dem betreffenden Menschen zu tun. Er hat eben Pech gehabt. Er ist in Bezug auf ADS leider ein „armer Kerl". Er ist „krank", „gestört", defizitär, usw. Aber als Mensch ist er/sie sonst ganz nett."*

In diesem Sinn hat die obige Diagnostik zunächst einmal eine beruhigende Wirkung. Insbesondere löst sie die gegenseitigen Schuldzuweisungen auf.

Allerdings hat eine pathologische Diagnose auch eine Schattenseite. Die Aufmerksamkeit wird als ein „äußerer Defekt" angeschaut, also als eine Art „Gehirnstörung", „Nervenstörung" oder „Stoffwechselstörung". Deswegen werden in erster Linie auch äußere Medikamente gegeben. Die Störung wird vorwiegend zu einem Problem der leiblich-genetischen Veranlagung des „Patienten".

Aufmerksamkeit ist aber in erster Linie eine geistig-seelische Aufgabe. **Nicht nur mein Gehirn, sondern ich selbst habe ein Problem.** Die Deutung der Aufmerksamkeitsdefizite als rein äußere Krankheit verdrängt diese Tatsache.

Gleichgültig welche physischen, körperlichen Hindernisse vorliegen, die Aufgabe die Aufmerksamkeit zu entwickeln und zu lenken, bleibt trotzdem bestehen. Dazu ist ein Engagement nötig, das nur der Betreffende selbst aufbringen kann.

Ein Mensch mit Aufmerksamkeitsproblemen braucht zweifellos Entlastung und Hilfe. Er braucht aber auch Mut und Willenskraft, um sein Problem in die Hand zu bekommen. Der eigene Schulungsweg führt zwischen Verdrängung und Pathologisierung hindurch.

Lebendige Entwicklung geht aus einem Zusammenspiel von polaren Gesten hervor. Wer akzeptiert, dass er etwas in einem bestimmten Lebensaugenblick nicht beherrscht, wird langfristig zu einer Lösung des Problems beitragen. **Akzeptanz** darf allerdings nicht dazu führen, dass der Betreffende glaubt an der Störung selbst nichts machen zu können. **Eigeninitiative** und Veränderungswille sind nötig. So paradox es klingt: Es gilt zu **akzeptieren, dass man etwas (noch) nicht kann**, aber es ist genauso nötig, **nicht zu akzeptieren, es dabei zu belassen.**

Im großen Lebenszusammenhang könnte das so ausgedrückt werden: Es ist nötig sein **Schicksal anzunehmen**; es ist aber genauso nötig, **sein Schicksal nicht** passiv zu **akzeptieren,** sondern **selbst in die Hand zu nehmen** und zu verändern.

6.3 FORMEN DER SCHULUNG

Ich habe in dieser Arbeit Übungen beschrieben, die die **Aufmerksamkeit schulen. Jede Handlung,** die wir achtsam vollziehen, ist eine Gelegenheit unsere Aufmerksamkeit zu entwickeln. Dabei gibt es eine Reihe von **Tätigkeiten,** die dazu besonders geeignet sind. Dazu gehören **Geschicklichkeitsübungen** und **künstlerische Tätigkeiten.** Wer das Jonglieren trainiert, das Stricken übt, sich das Zeichnen aneignet oder ein Musikinstrument lernt, erweitert nicht nur seinen Lebensbereich, sondern schult er gleichzeitig seine Aufmerksamkeit auf exzellente Weise. In den

Waldorfschulen hat man den Unterricht so eingerichtet, dass durch die praktischen und künstlerischen Fächer dieser Bereich besonders gestärkt wird.

Allgemein zeigen sich Aufmerksamkeitsstörungen meist in einem chaotischen, ziellosen Tätigkeits- oder Tageslauf. Dann ist es sinnvoll, einen **geordneten Tagesablauf zu trainieren.** Viele Menschen nehmen sich eine bestimmte **Zeit** des Tages, um **sich zurückzuziehen und zu meditieren.** Andere besuchen einen Achtsamkeitskurs.

Zeiten der Besinnung und Aufmerksamkeitsschulung gehören zum gesunden Lebensvollzug und waren in den spirituell-religiösen Kulturen eine Selbstverständlichkeit (**Gebetszeiten, Festeszeiten, Mediationszeiten**).

Bei Kindern mit Aufmerksamkeitsschwierigkeiten kann eine **Übungsstunde** bei einem fachkundigen Begleiter (Therapeuten) viel bewirken. Sie kann ähnlich organisiert werden wie eine Lerntherapiestunde. Manche Jugendämter finanzieren solche „Therapien" auf der Grundlage des KJHG (Kinder und Jugendhilfegesetz).

Alltagstätigkeiten

Jede Tätigkeit kann **achtsam** oder **achtlos** vollzogen werden. Achtsam vollzogene Alltagstätigkeiten sind die beste **Prophylaxe** für Aufmerksamkeitsstörungen. Im Buddhismus steht dieser Aspekt sogar im Mittelpunkt der spirituellen Schulung. Dabei gibt es meditative Übungen, bei denen es um „**reine Präsenz**" **(Achtsamkeit)** geht. Der Übende versucht an „**nichts zu denken**", alle störenden Gedanken, Assoziationen und Strebungen beiseite zustellen und bewusstseinsmäßig ganz im „**augenblicklichen Dasein**" zu verweilen.

Das **kleine Kind** lebt diese Form des Bewusstseins auf natürliche Weise. Es lebt im Augenblick. Bei jeder Tätigkeit, die es vollzieht ist es ganz bei der Sache. Das „**Leben im Augenblick**" ist der Ursprung und das Ziel aller Aufmerksamkeit. Eckhard Tolle hat das in seinem Buch „**Jetzt**" lebendig beschrieben. [26] Im Christentum weist Jesus mit seinen Worten „Wenn Ihr nicht werdet wie die Kindlein, werdet Ihr nicht in das Reich Gottes kommen" (Matthäus 18) auf diese Form des Bewusstseins hin.

---

[26] Eckhard Tolle „Jetzt" Kamphausen Verlag, Bielefeld 2000

Es ist eine große Kunst seine Alltagstätigkeiten achtsam zu vollziehen. Dabei ist es gleichgültig, ob es sich um Essen, Trinken, Laufen und Gehen, Gemüse rüsten, Tisch decken oder Geschirr abwaschen handelt. Das Leben im gegenwärtigen Augenblick ist der Ursprung und die natürliche Form aller Aufmerksamkeit.

Das menschliche Bewusstsein erfordert aber noch mehr. Wir haben **Erfahrungen** aus der **Vergangenheit,** an die wir uns erinnern. Wir können uns Gedanken und Vorstellungen machen über das Erlebte und das, was wir in der Zukunft gestalten wollen. Indem wir **urteilen und denken**, gehen wir aus dem Erleben des unmittelbaren Augenblicks heraus. Das führt dazu, dass wir manchmal an etwas anderes denken, als der Lebensaugenblick gerade erfordert. Immer wenn wir nicht aufmerksam sind, denken wir an etwas anderes als der Augenblick gerade erfordert. Viele Unfälle geschehen, weil die Beteiligten gerade an „etwas anderes gedacht" haben.

Es reicht nicht nur im unmittelbaren Augenblick zu leben, wir müssen auch wahrnehmen können, was die augenblickliche, biographische Situation gerade von uns erfordert. Wenn beispielsweise eine Mutter einen Aufmerksamkeitskurs nach dem anderen macht und dabei ihre Kinder verwahrlosen, hat sie möglicherweise ihre biographische Aufgabe falsch eingeschätzt. Es geht um einen „**achtsamen Lebensvollzug**". Die Kunst ist es zu erkennen, was in einer konkreten Lebenssituation gerade nötig ist.

Kulturelle Tätigkeiten

Alle Beziehungsformen des normalen Alltagslebens, wie das Sprechen, Zuhören und Kommunizieren sind Gelegenheiten, Achtsamkeit zu realisieren. Oft ist es auch sinnvoll, dies speziell zu üben. Es gibt eine Fülle von Kommunikationsübungen, mit denen sich diese Fähigkeiten bewusst vertiefen lassen.

Kulturelle und künstlerische Tätigkeiten sind nicht nur eine Lebensbereicherung, sondern gleichzeitig eine natürliche Aufmerksamkeitsschulung.

Auf **körperlichem Gebiet** kann Aufmerksamkeit im **Bogenschießen, Jonglieren, Balancieren auf dem Schlappseil, Geräteturnen oder sonstigen Sportarten** entwickelt werden. Auf seelischem Gebiet sind Beschäftigungen, wie das **Musizieren, Rezitieren**, oder **Schauspiel angesagt**. Ein Kind, das jeden Tag 20 Minuten lang Geige übt, schult seine Aufmerksamkeit in großartiger Weise. Dabei ist es gar nicht so wichtig, dass es ein großer Musiker wird, sondern dass es einfach bei der Sache ist. Auch andere Künste wie **Zeichnen, Malen und Plas-**

tizieren sind natürliche kulturelle Übungsfelder der Aufmerksamkeitsschulung.

Schließlich sei die die geistige Aufmerksamkeitsschulung genannt, die früher ganz selbstverständlich zum Leben gehörte. Spirituelle **Riten und Feiern** waren Teil des Alltagslebens in nahezu allen Kulturen. Im christlichen Abendland wurde der Kreis der **Jahresfeste** mit Weihnachten, Ostern, Johanni Michaeli besonders gefeiert. Zum Wochenlauf gehörte der Gottesdienstbesuch selbstverständlich dazu und der Tageslauf war durch das Früh- und Abendgebet, das Glocken läuten, usw. strukturiert.

Heute muss dieser Bereich oft anders und selbstständig ergriffen werden. Wer sich von östlichen Schulungen angezogen fühlt, kann beispielsweise jeden Tag eine halbe Stunde **Zen Meditation** machen oder in einem **Yogakurs** bestimmte Körperstellungen ausüben. Viele Angebote sind auch in der westlichen Kultur schon fast ins Alltagsleben übergegangen. Da gibt es verschiedene „**Entspannungsübungen**", wie z.B. die **Konzentrative Bewegungstherapie, das Jakobson"sche Training, das Autogene Training oder Kurse in achtsamkeitszentrierter Stressbewältigung (MBSR- Kurs)**. Wer spirituell-religiös orientiert ist, wird die **M**editation, **Kontemplation** oder das **Gebet** pflegen. Im profanen Bereich werden heute auch unter den Stichworten der „Stressbewältigung" oder „work life balance" Anregungen zur achtsamen Lebensbewältigung gegeben, die teilweise Ähnlichkeiten mit den spirituellen Übungen haben.

<u>Übung: Checkliste „achtsamer Lebensvollzug"</u>

a) Was kann ich konkret tun um Orientierung und Aufmerksamkeit zu stärken?
b) Welche Aufmerksamkeitsübungen kann ich machen?
c) Welche aktiven Tätigkeiten (Sport, Musik, Künstlerisches) übe ich aus?
d) Ist die Tageslaufstruktur für die Aufmerksamkeitsschulung günstig?
e) Welche Medien werden genutzt, die evtl. die Aufmerksamkeit beeinträchtigen könnten (Fernsehen Computer, Musik beim Arbeiten, usw.)
f) Wo bin ich oder mein Kind evtl. einer Reizüberflutung ausgesetzt oder einer seelischen Situation ausgesetzt, die es überfordern?
g) Wo haben ich und mein Kind gemeinsam schöne Aktivitäten, die ihm und mir Spaß machen. (Spiele, kleine Unternehmungen, usw.)

Spezielle Schulungsprojekte

Spezielle Themen

Meist gibt es irgendeinen konkreten Anlass, bei dem Aufmerksamkeit entwickelt werden soll. Der eine kann sich nicht auf die **Mathematik konzentrieren**, der nächste ist **unaufmerksam beim Schreiben oder Lesen**, ein dritter ist **nicht achtsam beim Essen** und nimmt unkontrolliert zu. Ein anderer lässt sich gehen, wenn es um den Alkoholkonsum oder das Rauchen geht, und wieder ein anderer ist **unaufmerksam im Verkehr** oder hat laufend andere **Unfälle.**

Je nach Bereich gibt es **unterschiedliche Schwerpunkte**. Wer in Mathematik nicht aufpassen kann, ist meist durch die abstrakte, intellektuelle Vorgehensweise verunsichert. Da gilt es oft speziell tätig zu werden.[27]

Wenn es darum geht schlanker zu werden kann ein Essensplan aufgestellt werden; **kritische Stellen im Tageslauf**, wie z.B. das Frustessen nach einer Arbeit oder Anstrengung, erfordern dabei besondere Aufmerksamkeit. Aufmerksamkeit wird

---

[27] Zahn, Rechnen in Bewegung, Tradition 2019

auch bei einem **Raucherentwöhnungsprogramm** oder Desensibilisierungsprogramm für Ängste benötigt.

Eine wichtige Rolle spielen dabei **mentale Übungen** in Form von Vorstellungs- und Imaginationsübungen. Das Ziel, das anstrebt wird, wird innerlich mit entsprechenden Zwischenschritten vorgestellt.

Allgemeine Schulungsprojekte

<u>Tageslaufgestaltung</u>

Fast jeder Mensch, der Probleme mit seiner Aufmerksamkeit hat, braucht eine entsprechende Zeitgestaltung. Um Ordnung in seinen Tages- oder Wochenablauf zu bekommen, ist es oft sinnvoll Verhaltensprogramm aufzustellen und die notwendigen verschiedenen Tätigkeiten bewusst zu trainieren.

Übung: geordnete Tageslaufgestaltung
 (Verhaltensprogramm)

Als Beispiel führen wir ein Verhaltensprogramm für Kinder an, wie es Cordula Neuhaus in ihrem Buch zur Aufmerksamkeitsschulung vorgeschlagen hat. Dabei wird viel mit Belohnungen und Selbstbelohnungen (z.B. Punktesystem) gearbeitet, die das erwünschte Verhalten verstärken sollen.

Bestimmte Tätigkeiten werden genau benannt und festgelegt, wann sie ausgeführt werden sollen. Ein „Kontrollsystem", in diesem Fall mit einer Punktebewertung, soll dem Übenden seinen Erfolg wiederspiegeln.

Verhaltensprogramm Wochenstrukturplan (Nach Neuhaus S.124)
Pflichtplan für Stephan
für die Woche vom:.......................bis:.....................

Aufgabenbereich
Erled.   max.   bis   Pkt.

				Mo	Di	Mi	Do	Fr	Sa
3*tägl. inhalieren			3						
(jeweils nach dem Essen)									
Nach dem Frühstück									
(„Altmaterial in den Keller	7.40		2						
Im Bad: Zähneputzen,	7.45		3						
Waschen, Eincremen,									
Kämmen, Waschbecken									
auswischen									
Sporttasche aus und	sofort		1						
aufräumen (Platz, Kleider									
aufhängen, Wäschekorb									
Geschirr nach Schule und	sofort		2						
Sport in Küche bringen									
Nach den Hausaufgaben	sofort		1						
die Schultasche richten.									

Mo.: Papierkorb ausleeren	15.00	1
Toilette sauber hinterlassen immer		1
Vom Spielen zu Hause	18.00	1
Sein außer Mo und Di	17.30	
Mi.: Zimmer aufräumen	19.00	2
Schreibtisch aufräumen	19.00	3
Ins Bad gehen: Mi Do So	19.00	2
Mo Di Fr.nach Sport	20.30	
Kleider ordentlich über	19.15	1
den Badewannenrand legen		
oder umgedreht in Wäsche tun		
Mo Di Fr nach Sport		
Lesen (keine Comics) bis	19.45	1
dann Licht aus	20.45	

Gesamtzahl erreichter Punkte	24 23 23 21 21

Trainingsstunde „Aufmerksamkeit"

Eine Zeit, in der die Aufmerksamkeit gezielt trainiert wird, ist ein wichtiger Baustein der Aufmerksamkeitsentwicklung. Aus der Fülle der in diesem Buch vorgeschlagenen Übungen lässt sich leicht ein Programm für eine solche Trainingsstunde erstellen.

Beispiel: Trainingsstunde „Achtsamkeit"

In der Schule kann der Lerntherapeut eine Förderstunde „Aufmerksamkeitstraining" gestalten. Für eine solche Trainingseinheit kann es sinnvoll sein, die Kinder eine Zeit aus dem Unterricht mit der Klasse heraus zu nehmen. Ich führe hier Übungen auf, aus denen der „Therapeut" sich entsprechende Elemente auswählen kann, um eine Trainingseinheit zu strukturieren.

Einstieg

Besinnungsspruch:

Wach sei mein Haupt	(Hände an den Kopf)
Liebend mein Herz	(Hände ans Herz)
Helfend die Hand	(Hände offen nach vorne)
Was ich dann tu	(Hände zielgerichtet zum Boden)
Recht wird es sein	(gerader Stand)
Schön, fromm und gut.	(auf rechten und linken Fuß stellen)

Leibraumorientierung:
Rechte Hand auf linken Fuß
Zeigefinger der linken Hand auf rechtes Ohrläppchen
Daumen der rechten Hand auf Zeigefinger der linken, Zeigefinger der rechten Hand auf Ringfinger der linken, die beiden Mittelfinger aufeinander, kleinen Finger der rechten Hand auf Daumen der linken. Welche Finger bleiben übrig?

Sprach-Bewegungsübungen

Einen Satz vorwärts und rückwärts wortweise laufen und sprechen:
Der ganze Satz heißt: „Ich will achtgeben auf mich im Denken und
Spreche." Also: Ich will – will ich – ich will achtgeben- achtgeben will
ich – ich will achtgeben auf …..

Schrittarten mit Sprachbegleitung (nach Bothmer)
Ich stehe (dabei stehen) – Ich gehe, ich gehe(gehen und bei jeder
Silbe eine Schritt machen) – Ich lauf meine Bahn (Laufen und bei jeder
Silbe eine Bodenberührung) – Ich springe, ich springe ich spring und
halt an (bei jeder zweiten Silbe einen kleinen Sprung machen und dann
stehen bleiben)

Bei einem Satz Worte laufen und Silben klatschen
Ich war gestern erfreulicherweise im Schwimmbad
Man läuft die Worte mit einem Schritt und klatscht die Silben mit den
Händen. Bei dem Wort Ich klatscht man einmal, bei dem Wort gestern
zweimal bei dem Wort erfreulicherweise sechs Mal, usw.

Werfen mit Sprachbegleitung:
- Einen Jonglierball in die rechte und linke Hand nehmen
-Den Ball der rechten Hand mit dem Ausruf „wirf" hochwerfen.
- den Ball der linken Hand schnell mit dem Ausruf „nimm" mit der
rechten Hand nehmen.
- den in die Luft geworfenen Ball mit dem Ausruf „fang" ergreifen

Rhythmische Übungen

Zählen und Klatschen.
Man läuft im Kreis immer vier Schritte und zählt dabei 1 2 3 4. Beim
ersten Durchgang klatscht man auf die 1, beim zweiten auf die2, beim
dritten auf die 3, beim vierten auf die 4, beim fünften wieder auf die 3,
beim sechsten auf die 2 und beim siebten wieder auf die 1.

Einmaleins:
Es wird die Zahlenreihe gesprochen und gelaufen. Bei jeder Zahl der
Dreierreihe soll gestampft werden, bei jeder Zahl der Viererreihe soll
geklatscht werden. Da gibt es dann Zahlen, bei denen weder gestampft

noch geklatscht wird und Zahlen bei denen sowohl geklatscht wie ge-stampft wird.

Takt und Rhythmus eines Liedes darstellen

Es wird eine bekanntes Lied gesungen oder gespielt. Der Takt soll ge-laufen werden und der Rhythmus dazu geklatscht werden.
Beispiel:
Al le mei ne Ent chen schwim men auf dem See...

Sprachlich-musikalische Übungen

B-Sprache:

Dieses Spiel/Übung haben früher manche Kinder miteinander gespielt, wenn sie sich beschäftigen wollten. Man unterhält sich miteinander in B-Sprache. Ein Satz wird gesprochen. Nach jeder Silbe wird beim Vokal eingehalten, ein „B" eingesetzt und dann weitergesprochen. Ich möch-te mich mit Dir unterhalten klingt dann so: Ibich möböchtebe mibich mibit dibir ubunteberhabalteben.

Zungenbrecher:

Ähnlich konzentrierend sind Zungenbrecher, die auch oft als Kinder-reime verwendet wurden, z.B. „Fischers Fritz fischt frische Fische.."

Laute darstellen:

Bestimmte Laute eines Satzes, z.B. „e" und „n", sollen während dem Sprechen in Fingersprache dargestellt werden.

Melos bewegen

Der Melos ein bekanntes Lied bestimmten bekannten Liedes soll mit den Händen dargestellt werden: wenn die Melodie steigt, gehen die Hände nach oben, wenn sie sinkt nach unten, wenn sie gleichbleibt bleiben die Hände in gleicher Höhe.

Interaktions- und Rollenübungen:

Pantomimische Übungen:

Ein bestimmter Vorgang, z.B. Sägen Hobeln, Nagel einschlagen, trin-ken, usw. soll nur pantomimisch dargestellt und vom Partner erraten werden.
Siehe Kapitel 5!

Schauspielerische Grundübungen, Fingerringen, Temperamentsübungen, Persönlichkeit pacen.
Vorstellungsübungen und Erinnerungsübungen:

Vorstellungsübung „Person"
Augen schließen, dann vorstellen, was der Kontaktpartner für eine Kleidung, Schuhe, Frisur usw. hat

Vorstellungsübung „Zimmer"
Augen schließen, dann vorstellen, was alles im Zimmer ist, Teppich, Wandmuster, Möbel, Bezüge, Lampen usw.

Vorstellungsübung „Bildbetrachtung"
Ein Bild oder eine Karte anschauen lassen, dann das Bild abdecken und vorstellen, was man alles darauf gesehen hat.

Erinnerungsübung: „die ersten Worte am Tag"
Die Aufgabe heißt sich zu erinnern, welche Worte man mit Wem als erstes an diesem Tag gesprochen hat.

Erinnerungsübung: „Tagesrückblick"
Am Abend sich in rückwärtiger Reihenfolge erinnern, was man an diesem Tag alles getan und erlebt hat, bis man Morgen beim Aufwachen angekommen ist.

Gedankenübung: „5 Minuten lang mit seinen Gedanken bei einer Sache bleiben „

Es wird ein ganz einfacher Gegenstand genommen, z.B. Nun soll 5 Minuten über diesem Gegenstand gesprochen werden ohne dass man sich gedanklich wegführen lässt. Also beispielsweise „Stuhl" er hat vier Beine, eine Lehne, eine Sitzfläche, ….. welche Formen und Gestaltungen gibt es? ……….Aus welchen Materialien ist er gemacht?...Wie wird er hergestellt usw. …. Abirrende Gedanken wären beispielsweise „Stuhl" gestern war meine Oma auf dem Stuhl gesessen. Da ist er fast zusammengebrochen. Ich habe ihr doch schon oft gesagt sie soll nicht so viel essen usw.

Gedankenübung „geometrische Verwandlungen"

Man soll sich ein gleichseitiges Dreieck vorstellen. Nun soll die Spitze des Dreieck in verschiedene Richtungen sich verändern. Zunächst soll die Spitze immer höher vorgestellt werden, bis sie ins Unendliche geht. Was für eine Form entsteht? Nun soll sie Spitze sich in Richtung Grundlinie senken, bis sie diese erreicht hat. Was für eine Form hat man nun. Nun soll sie sich unterhalb der Spitze weiter bewegen, bis sie dort ins Unendliche geht. Welche Form entsteht nun?

Abschlussspruch:
Das kann derselbe sein wie der Anfangsspruch. Damit kann die Übungseinheit abgerundet werden.

Wach sei mein Haupt	(Hände an den Kopf)
Liebend mein Herz	(Hände ans Herz)
Helfend die Hand	(Hände offen nach vorne)
Was ich dann tu	(Hände zielgerichtet zum Boden)
Recht wird es sein	(gerader Stand)
Schön, fromm und gut.	(auf rechten und linken Fuß stellen)

7. MEIN NÄCHSTER SCHRITT

(Ein Weg von 1000 Meilen beginnt mit einem Schritt)

„Der Weg zur Hölle ist mit guten Vorsätzen gespeichert". Mit solch einer Äußerung wird darauf hingewiesen, dass jeder Mensch immer wieder gefährdet ist, sich alle möglichen guten Sachen vorzunehmen, aber dann konkret doch nichts geschieht. **Die beste Aufmerksamkeitsübung nützt nichts, wenn sie nicht getan wird.** Eine Möglichkeit dieser Gefahr zu entgehen, bietet folgende Willensübung.

Übung: „Mein nächster Schritt"

Nach innen gehen:

Anweisung: Willenssatz formulieren
Versuchen Sie innerlich einige Dinge, die Sie in diesem Buch gelesen haben an sich vorbeiziehen zu lassen.

Nun versuchen Sie nur eine einzige Sache herauszunehmen. Es besser sich dabei nur wenig vorzunehmen. Nun versuchen Sie einen Satz für sich zu formulieren mit dem Thema: „Mein nächster Schritt für meine Konzentrationsschulung ist ………………….

Solche Sätze können sehr verschieden ausse-hen. Beispielsweise: „In der nächsten Woche stehe ich jeden Morgen früh um 6 Uhr auf." „Ich werde drei Tage lang am Abend einen Tagesrückblick machen." „Bei der nächsten Unaufmerksamkeit meines Kindes bei den Hausaufgaben schreie ich nicht sofort, sondern schnaufe dreimal tief durch und sage ja ja."

Es kann selbstverständlich auch ein Willensschritt in der Richtung sein, dass man sich sagt: „Als nächstes gehe ich zum Arzt und bitte um ein Medikament" oder „Ich mache in der nächsten Woche einen Termin mit einem Psychologen oder Lerntherapeuten aus„.

Natürlich können Sie sich auch sagen: „Ich habe mich jetzt zunächst genug mit der Aufmerksamkeit beschäftigt und mache erst einmal vier Wochen Pause mit diesem Thema".

Was auch immer Ihr nächster Schritt sein wird, formulieren Sie ihn in einem Satz. Ich werde.........

Anweisung: Willenssatz prüfen
Nun versuchen Sie Ihren Willenssatz zu prüfen, sagen Sie ihn leise vor sich hin und schauen Sie ob Sie ihn wirklich ausführen können und werden.

Dann suchen Sie sich einen Partner und sagen Sie Ihren Willenssatz dem Partner. Prüfen Sie ob er auch jetzt noch stimmt. Ihr Partner hat die Aufgabe Ihren Satz in sich leben zu lassen und zu schauen, ob er für ihn überzeugend klingt. Evtl. muss man noch einmal umformulieren. Ihr Partner kann evtl. Vorschläge machen, aber Sie müssen selbst prüfen, ob so ein Vorschlag für Sie stimmiger ist als vorher.

Anweisung: Durchführung prüfen
Nun versuchen Sie eine Kontrolle für die Durchführung Ihres Willensimpulses mit Ihrem Partner zu vereinbaren. Das kann z.B. so aussehen, dass Sie in einem bestimmten Zeitanschnitt einen Telefonanruf vereinbaren, wo Sie Ihrem Partner mitteilen, ob Sie wirklich diesen Schritt durchgeführt haben oder nicht. Die Zeit wird vereinbart und in den Terminkalender geschrieben - oder Sie schicken als Ergebnis ihres Willensentschlusses ihrem Partner ein Ergebnis, z.B. die erste Zeichnung aus dem beabsichtigten Zeichenkurs, usw.

Schluss

R.Steiner : Sprachgestaltung und Dramatische Kunst, Vortragszyklus gehalten in Dornach 1924

Aufmerksamkeit ist **kein fertiger Zustand**, sondern eine **Aufgabe.** Es ist eine **Möglichkeit**, die **ergriffen,** aber auch **verpasst** werden kann. Bildlich ausgedrückt: Indem der Mensch (im Paradiesmythos) vom Baum der **Erkenntnis** (vielleicht auch Achtsamkeit) gegessen hat, hat er auch die Aufgabe diese zu entwickeln.

Die Schulung der Aufmerksamkeit ist ein **Vorgang,** der zur Lebensgestaltung gehört. In diesem Sinn wurden **Aufmerksamkeitsstörungen** nicht als eine feste Krankheit, sondern eher als **versäumte Aufmerksamkeitsgelegenheiten** betrachtet.

Jeder Augenblick des Lebens ist neu. So kann auch dieser Augenblick vom Leser genutzt werden, einen Neuanfang in der Gestaltung der eigenen Aufmerksamkeitsentwicklung (oder der seines Kindes) zu wagen. Es ist ein Weg mit Höhen und Tiefen, von dem immer wieder abgeirrt werden kann und der immer wieder neu ergriffen werden muss.

Dabei wünsche ich dem Leser viel Erfolg.

LITERATURANREGUNGEN

Assagioli Roberto Die Schulung des Willens Junfermann Paderborn 1991

Assagioli Roberto: Handbuch der Psychosynthese Nawo Verlag, 4.deutsche Auflage 2004 Rümlang Zürich

Ayres Bausteine der kindlichen Entwicklung Springer Verlag 1992

Belte Erika: Rückwärts schlüpft er aus dem Ei, Verlag Freies Geistesleben Stuttgart 1975

Belte Erika: Pfiffikus Schelmennuss, Verlag Freies Geistesleben Stuttgart 1984

Bothmer;Fritz Graf von: Gymnastische Erziehung, Verlag Freies Geistesleben Stuttgart 1981

Brand/Breitenbach/Maisel: Integrationsstörungen Bentheim Würzburg 1995

Brunsting Monika: Praxisbuch Aufmerksamkeitstraining: ADS –Hintergründe Ursachen Taschenbuch 2006.

Buchner Stillsein ist lernbar Konzentration Meditation Disziplin in der Schule Verlag für angewandte Kinesiologie 1994

Bühler Ernst/ Lobeck Margit: Scheine Sonne, scheine, Troxler Verlag 1970

Diestel Hedwig: Kindertag, Verlag Freies Geistesleben 1967

Elschenbroich Du machst uns verrückt Herder 1983

Eval Nir: Die Kunst sich nicht ablenken zu lassen: Indistractable – Werden Sie unablenkbar
Kindle 2019

Fehmi Les: Open Focus Aufmerksamkeitstraining: Durch Aktivierung des Alphazustandes zu Gesundheut und Kreativität finden, Arkana 2008

Ferrucci Piero: Der Wille – unsere innere Kraft, Nawo Verlag Zürich 2020

Flensburger Hefte Nögges Elementartheater Flensburger Hefte Verlag 1993

Finnigen: Alles über die Kunst des Jonglierens Du Mont Köln 1987

Fuchs Marianne: Funktionelle Entspannung Hippokrates Verlag Stuttgart, 1974

Fontana David: Einführung in die Zen-Meditation, Theseus 2003

Garff Marianne: Es plaudert der Bach, Pforte Basel, 5.Auflage 1976

Gendlin T. Eugene: Focusing Technik der Selbsthilfe bei der Lösung persönlicher Probleme Otto Müller Verlag Salzburg 1981

Grissemann Hyperaktive Kinder Verlag Hans Huber 1991

Hainbuch Friedrich: Progressive Muskelentspannung, Taschenbuch Kindle 2015

Hallowell/ Ratey Zwanghaft zerstreut ADD - Die Unfähigkeit, aufmerksam zu sein

Hartig Monika: Selbstkontrolle Lerntheoretische und verhaltenstherapeutische Ansätze Urban Schwarzenberg 1973

Hoffman Dr. Heinrich: Der Struwwelpeter Orginalausgabe Morgarten, Rütten§Lennig Verlag Frankfurt, 1845

Klünker Wolf-Ulrich Selbsterkenntnis Selbstentwicklung Verlag Freies Geistesleben 1997

Kiphard Psychomotorik in Praxis und Theorie Flöttmann Verlag 1994

Kranich/ Jünemann/ Berthold-Andrae/Bühler/ Schubert: Formenzeichnen, Verlag Freies Geistesleben Stuttgart 1985

Köhler Henning: Von ängstlichen traurigen und unruhigen Kindern Verlag Freies Geistesleben 1994

Köhler Henning: War Michel aus Lönnaberga aufmerksamkeitsgestört? Verlag Freies Geistesleben, 2002

Rahm Dorothea und andere: Einführung in die Integrative Therapie Junfermann Paderborn 1995,

Ritter Heinz: Eins und Alles Verlag Freies Geistesleben, 1974

Pickler Emma: Miteinander vertraut werden Arbor Verlag Freiamt 1994

Rosenberg Marshall: Gewaltfreie Kommunikation, Junfermann, 6.Auflage 2005

Preißler Helmut: Kinderreime und Kinderlieder aus „Des Knaben Wunderhorn", Verlag Werner Dausien Hanau,1966

Prekop/Schweizer Unruhige Kindert Kösel Verlag 1993

Schulz I.H.: Das autogene Training, Georg Thieme Verlag Stuttgart, 14.Auflage 1973 (Erstauflage 1932)

Spezzano Chuck Wenn es verletzt ist es keine Liebe, Via Nova 1996

Slezak-Schindler Christa: Künstlerisches Sprechen im Grundschulalter, Päd.Forschungstelle beim Bund der Freien Waldorschulen

Slezak-Schindler Christa: Der Schulungsweg der Sprachgestaltung, Philosophisch-Anthroposophischer Verlag am Goetheanum, 1985

R.Steiner : Wie erlangt man Erkenntnisse der höheren Welten, R.Steiner Verlag 1961

R.Steiner : Geheimwissenschaft im Umriss R.Steiner Verlag 1962

R.Steiner : Eurythmie als sichtbare Sprache , R.Steiner Verlag, 5.Auflage 1990

R,Steiner: Anweisungen für eine esoterische Schulung R.Steiner verlag 1968

R.Steiner: Die Kunst der Rezitation und Deklamation, Bibl.Nr.281, Erstauflage Dornach 1928

R.Steiner : Sprachgestaltung und Dramatische Kunst, Vortragszyklus gehalten in Dornach 1924

R.Steiner Zur Sinneslehre (Hrsg. Chr. Lindenberg) Verlag Freies Geistesleben 1980

Thich Nhat Hanh: Ich pflanze ein Lächeln Der Weg der Achtsamkeit Goldmann 1991 9.Aufl.
Tolle Eckhard: „Jetzt" Kamphausen Verlag, Bielefeld 2000

Treichler Rudolf: 12*12 Rätsel Rote Verlag 1967

Tschechow: Werkgeheimnisse der Schauspielkunst

Watzlawik/Beavon/Jackson: Menschliche Kommunikation, Verlag Hans Huber, Bern Stuttgart Wien 1967

Williams Mark : Das Achtsamkeitstraining: 20 Minuten täglich, die ihr Leben verändern, Taschenbuch 2015

Willigis Jäger Suche nach dem Sinn des Lebens Bewusstseinswandel durch den Weg nach Innen, Via Nova 4.Aufl. 1997

Wöbking Wolfgang Mein Kind spielerisch fördern durch Mentales Training Gräe und Unzer 1991

Zahn Hans-Albrecht: Was Erwachsene von Kindern lernen können, Tredition 2016

Zahn Hans-Albrecht: Wenn das Lernen gelingen soll, Tredition 2018

Zahn Hans-Albrecht: Rechnen in Bewegung, Tredition 2019

BILDNACHWEIS.
Bild 1 und Bild 2 aus Hoffman Dr. Heinrich: Der Struwwelpeter Orginalausgabe Morgarten, Rütten§Lennig Verlag Frankfurt, 1845

Alle anderen Fotos, Zeichnungen und Bilder, einschließlich des Umschlages, stammen vom Autor.